ЛЮБОВЬ К ЖИЗНИ

ИРИНА МУРАВЬЁВА

ТЫ МОЙ НЕНАГЛЯДНЫЙ!

МОСКВА
2015

УДК 821.161.1-31
ББК 84(2Рос=Рус)6-44
М91

Художественное оформление серии *А. Старикова*

Муравьева, Ирина.

М91   Ты мой ненаглядный! / Ирина Муравьева. — Москва : Издательство «Э», 2015. — 320 с. — (Любовь к жизни. Проза И. Муравьевой).

ISBN 978-5-699-83870-7

Ирина Муравьева живет в Бостоне с 1985 года. Но источником ее творчества является российская действительность. Впечатляющие воспоминательные сцены в ее прозе оказываются порой более живыми, чем наши непосредственные наблюдения над действительностью. Так и в рассказах — старых и новых — сборника «Ты мой ненаглядный!», объединенных темой семьи, жасмин пахнет слаще, чем тот, ветки которого бьются в ваше окно.

УДК 821.161.1-31
ББК 84(2Рос=Рус)6-44

ISBN 978-5-699-83870-7

РАССКАЗЫ

ТЫ МОЙ НЕНАГЛЯДНЫЙ

Лазарю исполнилось одиннадцать лет, а Зиги — девятнадцать, и пока был жив отец, никто даже и не обсуждал, где красавец и умница Зиги выучится на адвоката. Разумеется, в Вене, а не в их провинции. И деньги на то, чтобы старший сын стал адвокатом, можно было выкроить: отец, после того как мыловаренный завод за долги перешел от него к кузену Иосифу, остался там управляющим. Долгов уже не было, меньше ответственности.

Умер он почти внезапно. Вечером поднялась температура, в груди заклокотало и засвистело, пришел доктор Унгар, покачал головой, прописал таблетки, сироп от кашля, спиртовые компрессы, лимонное, с медом, питье и сказал, что наведается завтра. Завтра больному будет лучше. Мама сидела у отцовской постели, маленькой рукой гладила его пылающий сухой лоб. К полуночи отец начал бредить, сорвал одеяло, пытался встать, кричал, что его ждут в Венской опере, но вскоре затих, губы его вдруг стали ярко-лиловыми. Мама разбудила Зиги, он выскочил из бывшей детской, где спал теперь один — Лазаря перевели в маленькую боковую комнату, — набросил поверх пижамы пальто и побежал к доктору Унгару, который жил на соседней улице. Доктор Унгар пришел очень скоро, но уже не застал отца в живых. Мама раскачивалась из стороны в сторону, как стрелка в их черных настенных часах. А маленький голубоглазый Лазарь, не понимая, что отца больше нет, смотрел на него не отрываясь и ждал, что отец вот-вот зашевелится под одеялом.

Через два месяца после отцовской смерти мама настояла на том, чтобы Зиги, у которого закончились летние каникулы, вернулся учиться в Вену. Зиги уехал, а Лазарь с мамой остались. Денег было очень мало, и мама продала все свои украшения. Весной у нее появился ухажер — красивый, со смуглым точеным лицом, вдовец по имени Наум Айнгорн, человек очень нервный, вспыльчивый, но добрый, хотя непрактичный, неловкий и мнительный. У Наума Айнгорна своих детей не было, и, когда мама вышла за него замуж, он решил, что теперь будет относиться к осиротевшему Лазарю как к родному сыну. Но не получилось. Мама, прежде такая веселая и беззаботная, выйдя замуж на Наума, стала осторожной, присматривалась к своему быстро взрослеющему сыну, боясь, чтобы его не обидел новый муж и чтобы быстро взрослеющий сын не сделал чего-то такого, от чего новый муж начнет раздражаться и хлопать дверьми. Потом родилась в доме девочка Лия, и вроде бы все успокоилось. Жили они тогда уже не под австрияками, а под румынами, но говорили по-прежнему по-немецки, и гимназия, в которую ходил кудрявый голубоглазый Лазарь, считалась, как раньше, «австрийской». В тридцать седьмом Зиги вернулся из Вены. Он стал подающим надежды адвокатом, снял себе прекрасную квартиру, запонки на его манжетах блестели ярче, чем зрачки невесты из-под свадебного покрывала, и каждый вечер гибкий, тонкий, с причесанными на косой пробор волосами молодой адвокат пропадал либо в театре, либо в гостях у таких же, как он, адвокатов или докторов медицины. На одной из вечеринок он встретил Грету и бешено сразу влюбился. Грета немного косила, и это придавало ее белому, белее, чем сливки, лицу особую прелесть. Даже когда Зиги, вставши на одно колено, делал ей предложение, она, полураскрыв нежные губы, смотрела не прямо ему в глаза, а словно бы в сторону, и Зиги от этого так волновался, что слова «люблю» даже не произнес.

Наум постоянно жаловался ему на строптивого Лазаря, и Зиги часто наведывался в гимназию, где обсуждал с учителями поведение брата, за которого чувствовал большую ответственность. Потом прибегал на футбольное поле, где Лазарь обычно стоял на воротах, и драл его за уши. Уши горели. В доме Наума постоянно не хватало денег: он был реставратором старинной мебели, и, если бы не его мнительность и постоянное раздражение на заказчиков, вполне можно было бы жить хорошо, но он не умел. Из города Сталино, бывшей Юзовки, двоюродный брат его Михель, помощник дантиста, писал ему письма, в которых рассказывал, какая судьба бы была у Наума и всей их прекрасной семьи, решись они только сюда перебраться — в советский огромный промышленный центр, где все для людей и всего всем хватает.

— Я в СССР не поеду, — сказал гибкий, тонкий, заносчивый Зиги. — И Грета моя не поедет.

Никто никуда ехать не собирался. Рано утром поднималось солнце над их старым городом, в котором пахло тем, чем пахнет здоровая жизнь: плодами из сада, землею и сеном, и даже лошади трясли гривами от радости, даже приговоренные к смерти быки на скотобойне вдруг начинали надеяться, что их не убьют ни сегодня, ни завтра.

В марте тридцать девятого Зиги купил автомобиль «Фольксваген». Соседи прилипали к окнам, когда белокожая Грета садилась за руль. «Малыш» с крутым лбом, золотистый «Фольксваген», вдруг трогался с места и мчался, как ветер, а синее небо слегка отражалось в его ярких стеклах. Не прошло и года, как румыны передали их город Советам. И все до единого — куры, коровы, и люди, и дети — все стали советскими. Лазарь как раз заканчивал гимназию, ему исполнилось восемнадцать. Грета ждала ребенка, и беременность делала ее еще белее и прозрачнее, как будто она наливалась росою. У Лазаря появилась девушка, которую звали Сусанной, но Лазарь и все обращались к ней: «Сюся». Сусанна за пару месяцев освоила русский язык и наизусть читала Лазарю Сергея Есенина: «Холюбая кофта, синие глаза, никакой я прафты милой не сказал...» Лазарь почти ничего не понимал, но на Сюсю смотрел с застенчивой жадностью. В апреле начались аресты. Забрали доктора Унгара, и соседка, страдающая бессонницей, увидела через окно, как остановилась черная машина, из которой вылезли двое, потом, уже у самого подъезда, к ним подошел дворник с какой-то женщиной, и тут же один из тех, которые приехали на машине, позвонил в дверь. Открыла прислуга, растрепанная, в белом ночном платье, ее грубо отпихнули, и все четверо скрылись в темноте прихожей. Соседка погасила лампу и продолжала смотреть. Через полчаса вывели под руки доктора Унгара, который испуганно озирался, и шляпа ездила по его голове то в одну, то в другую сторону, как будто вся кожа большой его лысины была очень скользкой.

Через неделю пришли к Зиги. Старинные венские часы пробили три. Грета, которая должна была скоро родить, только что заснула: она засыпала под утро, боялась. Услышав резкий звонок в дверь, Грета подбежала к окну и распахнула его, как будто желая выпрыгнуть с шестого этажа на мощенную булыжником улицу. Зиги обхватил ее обеими руками и начал оттаскивать. В дверь все звонили. Тогда он открыл, прижимая к себе, — кричащую, в белой широкой рубашке, с большим животом, — молодую жену. Его увели. Грета, выскользнув тенью, дрожа, завела золотистый «Фольксваген», но долго сидела внутри неподвижно, как будто забыла вдруг адрес родителей. Через неделю сосед шепнул маме, что видели Зиги в окошке теплушки, в которой куда-то везли арестованных. Но этот сосед мог легко перепутать: таких же, как Зиги, — с проборами — юношей в теплушках тогда увозили десятками.

Лазарю стало боязно разговаривать даже с Сюсей, хотя они были близки с ней и уходили далеко в горы, где Сюся его целовала так крепко, что на нежной шее Лазаря, и без того раздраженной бритвой, оставались огненные следы. В мае у Греты родилась мертвая девочка. Сюся объясняла Лазарю, что если Зиги ни в чем не виноват, то он очень скоро вернется, но жить так роскошно, как жили они, и ездить на этом их автомобиле в то время, как люди вокруг голодают, само по себе преступление. И Лазарь не спорил, хотя точно знал, что люди в их городе не голодают. Над своей кроватью Сюся повесила портрет товарища Сталина и часто смотрела на этот портрет, мечтая поехать в Москву и кататься в метро, пока не надоест. Любовь их, однако, росла и кипела, она была больше всего остального, важнее всего, что бывает на свете. В предгорьях Карпат каждый день попадались под ноги босых пастухов отпечатки их тел на зеленой и пышной траве. Потом шли дожди, и трава распрямлялась.

Война началась на рассвете, и к тридцатому июня все, что было советского, ушло, убежало, распалось. Город оккупировали те же самые румыны, которые год назад отдали его товарищу Сталину. Начался такой хаос, что Лазарь совсем растерялся. Он был белокурым, задумчивым юношей, хотя и поднимал штангу такой тяжести, что, когда она, взлетев над его головой, застывала, на потном лбу Лазаря вдруг проступали лиловые жилы. Теперь оказалось, что жизнь — это что-то, похожее тяжестью на его штангу. Победители-румыны пьянствовали и грабили дома тех, которых, как Зиги и доктора Унгара, давно увезли неизвестно куда. Боялись, что скоро исчезнут продукты. Боялись прихода немецких частей. Боялись арестов, боялись расстрелов.

Сюся, полная решимости, сказала своему молодому другу, что ждать больше нечего. Пора уходить, пробираться к своим. Лазарь не понимал, где свои, где чужие, его тошнило от страха, но не за себя одного, а за всех:

вокруг убегали, прощались и плакали. Никто — ни один человек — в это время не знал, что с ним будет.

Ночью они ушли. Сюся сколотила небольшую группу: с ними уходил друг Лазаря Эрих, веселый, застенчивый и узкоплечий, прекрасный скрипач, со своей сестрой Бертой и мужем ее пианистом Ароном. А ночь была жаркой, томительно-нежной, и горы Карпатские смутно белели своими высокими чистыми травами, которые даже от запаха крови и то сразу сохли. Мама долго целовала его, и последнее, что запомнил Лазарь, были ее слезы, которые лились по его лицу и шее, затекали за воротник, их было так много, что вся его майка и даже резинка трусов стали мокрыми. Наум, дрожа всем телом, притиснул Лазаря к себе и начал что-то бормотать, просить прощения, что не сумел стать ему ближе отца, но Лазарь его крепко обнял и тихо сказал ему: «папа». А Лия, сестра, темноглазая девочка, с круглой головой, на которой во все стороны росли немыслимой густоты, черные, с синим отливом, запутанные волосы, не плакала, только смотрела, кусая свои очень пухлые губы.

Они уходили пешком, в темноту, не зная, не подозревая, что это судьба их ведет по шоссе, где румыны, по-прежнему пьяные и бесшабашные, еще не успели расставить посты.

В Виннице, до которой они добрались за четыре дня, их долго допрашивали. Город должны были вот-вот сдать, люди разбегались, но вскоре возвращались обратно, поскольку бежать было некуда. Прокуренный начальник военкомата впился красными глазами в лицо Лазаря.

— Почему он по-русски не понимает? — спросил он у Сюси. — Ведь вы же советские люди?

— Но он не успел еще, — с тревогой ответила Сюся. — Ведь мы же недавно — советские люди.

— Но ты-то вот, видишь, успела, — заметил начальник и вдруг перевел на нее красный взгляд.

И Сюся, всегда возбужденная, яркая, наполненная своей первой любовью, вся сжалась от этого красного взгляда.

— Останешься здесь, будешь переводить, — сказал он. — А этих всех, порознь.

Пришла немолодая женщина в погонах и короткой юбке, открывавшей ее набухшие, как разваренная капуста, колени, и увела с собой Сюсю.

Никто из них больше не видел друг друга.

Когда начальник военкомата, изголодавшийся по женскому существу, велел привести Сюсю к себе на квартиру, он не собирался ее убивать. Он просто хотел ее сильного тела. И ждал ее: в белой несвежей рубахе, расстегнутой так, что видна была грудь, заросшая старой, седой, редкой шерстью.

— Садись, — сказал он. — Будешь пить?

Достал два стакана, налил из бутылки. У Сюси глаза стали черными ямами.

— Но-но! Без истерик, — сказал он. — На, пей.

Она замахала руками:

— Не буду.

— Как хочешь, — сказал он и выпил.

Потом оглядел ее всю. Как лошадка стояла она перед ним: мускулистая, с крутыми боками и выпуклой грудью, с кудрявой, лохматой, как грива, косой.

— Давай, только живо, — сказал он. — Раз-два. За-коны военного времени.

И сразу толкнул на кровать. Сюся вывернулась и ребром ладони изо всей силы ударила его по лицу. Он отшатнулся от неожиданности, и она, не давая ему опомниться, вонзила растоптанный грубый каблук с железной набойкой в живот командиру. Тогда он ее застрелил. Будешь знать.

Тою же ночью Лазаря, не подозревающего, что Сюся уже часа два как зарыта в нагретую летнюю землю, записали рядовым в одну из отступавших военных частей. Он всех потерял. И его потеряли. Жизнь стала войной, а война стала жизнью. Ему говорили: «стреляй». Он стрелял. Кричали: «в атаку!» И он шел в атаку. При этом внутри него не было ни одного ясного чувства, ни одной связной мысли. Пару месяцев назад он горячо любил маму, Сюсю и плакал от страха за Зиги. Теперь он и не сомневался, что мамы и всей их семьи давно нет, а думать о Сюсе ему стало страшно. Он был еще сильным, но очень худым, курил, ненавидел спиртное. Солдаты учили его бранным русским словам.

Прошел почти год. За все это время у него ни разу не было женщины, но несколько ночей подряд снилась какая-то незнакомая девушка, ничем не напоминавшая Сюсю, с грустными глазами. Он гладил ее лицо, целовал эти глаза и чувствовал, как ее нежные веки дрожат, словно крылышки пойманной бабочки. Хотелось бы встретиться с ней, но и девушки не существовало.

— Ты — милая, милая, — шептал он по-русски и сглатывал ком не то своих слез, не то крови. — Ты самая милая.

Он был очень голоден. Сильно, все время. Однажды, в окопе, он вспомнил инжир, которым его угостил отец Греты. Инжир был морщинистым и маслянистым.

— Он так хорошо помогает от кашля, — сказала тогда мама Греты. — Ты любишь инжир с молоком, милый Лазарь?

В конце сорок второго года из Кремля поступило распоряжение: снять с фронта бывших румынских граждан и отправить их за Урал в трудовую армию.

* * *

Ему повезло. Небеса так решили: чтобы он еще жил, жил и жил. Еще был нетронутый свиток событий, ночей, дней, ночей и заново дней, которые ждали его. Еще была я. Мне досталось держать его руку в последнюю ночь.

* * *

Лазарю повезло, потому что его отправили не в лагерь, а на поселение в деревню Чалки. До Чалок от станции, на которой остановился товарный состав, всю ночь шли пешком. Высоко над головами громоздились серые облака, луна, перед тем как растаять, взглянула на них равнодушно, вздохнула: «Помрете вы все».

А он вот не помер. Бои начинались, едва рассветало. Они наступали на лес так, как прежде на них наступали враги в серых касках. Они воевали с деревьями. Высокие, в колючем серебре, сосны знали, что их ждет. Черные существа копошились внизу и были похожи на насекомых. По двое они подходили к сосне, топтались вокруг и потом, хрипло крякнув и сплюнув на снег чем-то желтым и горьким, похожим слегка на смолу, принимались пилить. Дерево умирало медленно. Охватывающая его боль поднималась от корней, сведенных судорогой, до самых вершин. Вершины, тускло освещенные еще не разгоревшимся по раннему часу солнцем, начинали тревожно шуметь, пытаясь привлечь к своей смерти вниманье, проститься навеки, и тут же в ответ им шумели другие, такие же, ждущие смерти, вершины. Бои шли до самого позднего вечера. Голодные и озлобленные люди продвигались все глубже и глубже в заснеженную тьму чужого мира, безжалостно убивая его коренных жителей, которые, став мертвецами, обрубками, лишившись ветвей, с тонким, жалобным скрипом, давали связать себя и очень сильно, отчаянно долго еще сохраняли сосновый свой запах.

Лазарь был молодым и выносливым. Если бы не постоянное чувство голода, он, может быть, оледенел бы всем сердцем, забыл обо всем, обо всех. Но голод его будоражил. От голода он становился живучим. От голода он не мог спать. Изба, куда его с первого дня подселили к старухе Анисье, из раскулаченных, давно схоронившей детей, мужа, внуков, высокой, с ресницами, снега белее, с морщинами, глубже следов от полозьев, была вросшим в землю, трухлявым строением. Он ел свой паек за синей ситцевой занавеской, нарядно отгородившей топчан, на котором он спал, от печи. Анисья, прямая, в платке до ресниц, толкла в медной ступке сухую крапиву. Ее добавляли в муку. Съеденный за один присест кусок серого, всегда слегка влажного хлеба усиливал голод. Он даже не чувствовал вкуса того, что быстро прожевывал, сразу же сглатывал. Анисья ему говорила:

— Попей. Вода холонит и тоску разгоняет.

Он слушался, пил. Анисья могла бы его ненавидеть: ее сыновья давно сгнили в земле, а он, — непонятно, чей сын, — был жив и дышал. Но в ней была жалость, хотя и негромкая: на все нужны силы. Посреди ночи он просыпался от голода, Анисья храпела во сне. Тогда он вставал, выходил, стуча зубами, в ледяной чулан, где висели связки лука и несколько связок грибов. Если бы мама или Зиги — в скользящем, сиреневом, шелковом галстуке — его сейчас видели! Он воровал лук, осторожно отколупливал сморщенные чешуйки и быстро жевал их, потом сосал кислый коричневый гриб и, чувствуя, что уже хочется спать, ложился опять на топчан. Во сне к нему шли Сюся с Гретой, и Лия, и отчим, и мама, и Эрих с Ароном, но их относило порывами ветра.

— Жанился б ты, Леша, — сказала Анисья. — Мушшина тут есть. Из Москвы. Их эвакуировали от фашистов. Яврей, как и ты. С дочерами. Кудлатые! Они тобя, может, подкормят.

По пятницам Лазарь ходил в комендатуру за двенадцать километров в областной центр Юзгино и там отмечался.

— Ишшо не сбежал? — добродушно спрашивал его одноногий комендант с прокуренными, желтыми, жесткими, как старые иглы у сосен, усами. — Ну-ну. Далеко не сбежишь...

Эвакуированные жили в бараках на берегу Тути, речонки широкой, но мелкой, безрыбной.

— Дак как я пойду? — с немецким акцентом, но так же тягуче, как здесь говорили, спросил он однажды. — Зачем я им нужен?

— Старухи сказали: «жанить надо Лешу. А то он помрот у тебя. Пушшай лучше к этим явреям идот. Поскоку у них пишша есть».

— Откуда у них сейчас пишша? — спросил он.

— Дак умный мушшина, яврей. Пошел счетоводом в колхоз. Ему лошадь дали. А там, может даже, корову дадут. В бараке живет, а особо от всех. Хороший барак, самый лучший. И с хлевом.

На рассвете в пятницу Лазарь долго мыл ледяной водой из кадки отросшие за зиму русые кудри.

— Ишшо не сбежал? А? — сказал одноногий. — Ну-ну, далеко не сбежишь...

К двери барака вела протоптанная в глубоком, твердом снегу дорожка. На самом пороге — ободранный веник: смахнуть с себя снег, чтобы не наследить. Ему стало стыдно за то, что он голоден, но он пересилил свой стыд, постучался.

— Входите, открыто, — сказал хрипловатый девический голос.

В низкой комнате с бревенчатыми стенами стояла кровать, покрытая вязаным покрывалом, стол, две лавки. Топилась печь и сильно пахло сосновой смолой. Маленькое кривое окно наполовину заросло с улицы лебяжьим сугробом.

— Вы к папе? — спросил этот голос.

Лазарь не отрывал взгляда от своих валенок и не видел той, которая разговаривала с ним.

— Чего вы молчите?

Он поднял глаза. Девушка лет двадцати, хорошенькая, с коротким прямым носом и большими лучистыми глазами, смотрела без тени улыбки. Ее хрипловатый простуженный голос мешал темно-синим лучистым глазам.

— Вы кто? По какому вопросу? — Она начала раздражаться.

Из-за занавески, которая разгораживала комнату, выскочила пожилая, в мелко-серебристых кудряшках на лбу и висках, горбоносая женщина с вязанием в крошечных пальцах.

— Вы к Якову Палычу? А он в конторе. — Она улыбнулась неловко, пугливо.

— Я на поселении тут, — сказал Лазарь.

— Анечка! — захлопотала кудрявая. — Предложи молодому человеку снять верхнюю одежду. Проходите, пожалуйста. Мы знаем, как трудно живут поселенцы. Садитесь. У нас тут тепло.

Он снял во многих местах продырявленный ватник, который был очень велик, и все под него задувало. Сел, сжимая ватник в руках, и опять опустил глаза.

— Хотите попить кипятку с горным медом?

Из-за той же самой занавески вынырнули еще двое: девушка постарше, чем первая, с глазами поменьше, неяркими, светлыми, и с ней очень похожая на Анечку, скорее всего, ее мать, — вся седая, с лицом, таким робким, как будто за жизнь никто никогда ее не приласкал.

— Да нет, — сказал он. — Ничего не хочу. Пришел познакомиться.

Горбоносая, с серебристыми кудряшками, поставила перед ним чугунок с горячей картошкой, миску, пододвинула блюдце с крупной серой солью, потом сестра Анечки, по-прежнему не двинувшейся с места, нарезала на доске вынутый из печи горячий, с темно-золотой коркой, хлеб. Голова у него закружилась так сильно, что Лазарь слегка пошатнулся на стуле. Анечка подхватила его под локоть маленькой, но жесткой рукой.

Обжигаясь и торопясь, он ел растрескавшимися пересохшими губами картошку, отгрызал слабыми зубами хлеб и проглатывал не разжевывая, а три женщины сидели напротив, подпершись, и смотрели на него. Анечка стояла, прислонившись к печке тоненькой спиной, и глаза ее из темно-синих, лучистых, становились черными. Когда он наконец сглотнул последние крошки, Анечка принесла банку густого, темного меда и чистую ложку.

— Вот, — громко сказала она. — Попробуйте. Вкусно.

От сладости и крепкого запаха меда у него опять закружилась голова, и его начало сильно тошнить. Он испугался, что его сейчас вырвет, и вся эта сытная, прекрасная еда вывалится из живота наружу, а он будет голоден так же, как прежде. В дом, стуча обмороженными валенками, вошел старый, но крепкий человек с внимательным взглядом, блеснувшим на Лазаря. Он понял, что это хозяин, и встал.

— Спасибо, — сказал он. — Я ел у вас тут.

— Соня, — спросил вошедший. — Кто это?

— Иаков, — заволновалась женщина с серебристыми кудряшками. — Мы сами не знаем, Иаков! Пришел, мы его накормили... Он из поселенцев.

— Еврей?

— Я еврей, — сказал ему Лазарь.

— Садитесь, — вздохнул Иаков и пожевал лиловыми с мороза губами. — Садитесь и кушайте. Что вы вскочили?

Он ел мед, запивал его кипятком и быстро, блаженно пьянел. Глаза его сами закрывались, заволакивались изнутри слезами, и дико хотелось смеяться от радости. Анечка осторожно отодвинула от него ополовиненную банку.

— Вам плохо же будет!

Он покорно кивнул, облизнул ложку и аккуратно положил ее на пустую тарелку.

— Отдай ему банку! — сказал ей отец. — Раз хочет, — пусть ест.

* * *

Ты — мой ненаглядный. Может быть, все это было и не так, не совсем так. И имена другие, и мед был, наверное, светлым. А может быть, не было меда. Но разве сейчас это важно? Разве сейчас — в никем не осознанной глубине, которую свет заполняет собою, в которую мне путь заказан до срока, а ты уже там, — разве во глубине и свете мы призваны помнить подробности?

* * *

Первую неделю он почти ничего не замечал, кроме еды. От дома Анисьи до барака, где жил Яков Палыч с семьей, было не меньше двух часов пути, но теперь у него появились силы, он был почти сыт.

— Ишь, как залоснился! — сказала Анисья. — Ишь, мраморный весь.

Она подходила и грубой, но ласковой рукой приподнимала его отросшие надо лбом кудри. Кожа под волосами была белой, как поземка.

— Ты время-то там не тяни. А то ведь уедут они, не догонишь. В Москву ведь уедут, как немца прогоним.

И Зиги, которого он все чаще видел рядом по ночам, говорил то же самое. Зиги приходил в рваном и засаленном, с чужого плеча, тулупе, один рукав у которого был пришит недавно и резко выделялся своим ярко-оранжевым цветом. Лицо брата не изменилось нисколько.

— Я жду сюда Грету, — сказал он однажды. — Теперь уже скоро.

— А мама с тобой?

— Она еще там. Ты разве не видишь ее?

— Нет, не вижу.

У Зиги задрожали веки.

— Я знаю, что все еще там. И отчим, и мама, и Лия. А Грета ко мне очень скоро придет.

Теперь — если бы принесли телеграмму «все умерли» — Лазарь бы ей не поверил. Мертв был только Зиги, но он любил Лазаря, поэтому и возвращался к нему.

Старшая дочь Иакова, или, как все называли его, Якова Палыча, Дора все пыталась улучить минутку, чтобы поговорить с Лазарем наедине. Она заочно училась в Томском университете и собиралась стать историком. Младшую сестру Мириам, которая саму

23

себя переименовала в Анечку, Дора не перевариварила с детства.

— Тебя зовут Лазарем, верно? — спрашивала она, сверля Лазаря небольшими светлыми глазами с голубоватыми тенями под ними. — Ведь ты же не станешь требовать, чтобы тебя называли Апполоном?

— Анисья меня давно Лешей зовет. Я даже привык.

Дора фыркала громко, как лошадь, и быстро наматывала кудрявую прядь на указательный палец. Они сидели у печки, которая только что разгорелась и дымила. Мать и тетка пошли доить коз, которых у Якова Палыча было три: Алиса, Виолетта и Тамань. Анечки дома не было.

— Она и над козами поиздевалась! — дрожащим голосом сказала Дора. — Ведь это она им дала имена! Какая «Тамань»? Тамань — это город на юге!

Лазарь молчал. Он не отрываясь смотрел на муку, которая возвышалась над поверхностью стола желтоватой длинной горкой, странно напоминающей крышку гроба, и думал о том, что пора бы печь хлеб. Дора пододвинулась к нему и, резким отчаянным движением схватив его горячую руку, потянула ее к своей талии. Он сразу отпрянул: Дора не привлекала его, и в теле Лазаря ничего не отозвалось, но она все теснее и теснее прижимала его ладонь к своей штапельной кофточке, на которой были какие-то вылинявшие голубые бутоны, и даже попыталась опустить его ладонь еще ниже, где начиналось крутое и тяжелое бедро. Он понял, что если сейчас убежать, то Дора его сразу возненавидит, и он тогда больше сюда не придет. Как можно вернуться в тот дом, где тебя ненавидят? И есть в этом доме картошку и хлеб? И пить молоко Виолетты с Таманью? Глаза Доры стали как будто слепыми, а губы ее вдруг раскрылись, разбухли. Он испуганно покосился на окно, застланное сугробом, и тихо вытянул свою руку из ее вспотевших рук.

— Нельзя. Мы с тобой не одни.

— Тебя ведь могли бы убить! — сказала она. — Мы тогда бы не встретились!

— Я на поселении здесь. — Он запнулся. — Меня еще могут убить даже здесь. Меня везде могут убить.

Она опустила глаза:

— Ты Мириам любишь? Но только не ври!

В комнате стало почти темно, разгоревшаяся печь красиво и ровно шумела. Мучная атласная горка была чуть заметна.

— Не ври мне! Не ври! — вдруг заплакала Дора. — Они мне все врут: и мама, и папа, и Соня! Про Мириам не говорю!

— Зачем они врут?

— Я тебе объясню. — Быстро и горячо заговорила: — Ты сам все поймешь! У папы в Москве есть любовница. Я слышала их разговор. Два года назад. Перед самой войной. И папа сказал тогда маме: «Ты знаешь, что я никуда не уйду. От Мириам я никуда не уйду. Она тяжело нам досталась с тобой». И да! Это правда! Ее от чего только не лечили в Москве! Она у них все умирала! Всю жизнь! А папа всегда с ней носился! Всегда! «Майн тахтр, майн тахтр!»[1] А я была папе почти безразлична!

---

[1] Моя доченька, моя доченька! (идиш)

Потом он сказал, что не сможет уйти: его эта женщина — русская, слышишь? Она не еврейка. Ты понял меня? А он никогда не уйдет к русской женщине!

— И так всю жизнь врут? — спросил он простодушно.

— Ах, да! Так всю жизнь. Ты видел, какие у мамы глаза? И Соня все знает. Но Соня сама...

Тут Дора запнулась.

— Что Соня сама?

— Она даже замуж не вышла, вот что! И все из-за папы. Она его любит. Он, кажется, думал жениться на Соне, но мама была из богатой семьи, а Соня — двоюродная, без отца. И выросла в бедности... Соню мне жалко. Сестра моя с ней, как с прислугой! А Соня ни в чем ей не перечит. Ей лишь бы при папе. Он Соне сказал: «Мы сразу простимся, когда я почувствую, что больше в тебе не нуждаюсь. Решай». Она и боится. И коз научилась доить лучше мамы, и кур развела, лишь бы он не прогнал.

Дора горько, навзрыд плакала, прижавшись к плечу его мокрым лицом. Он сразу подумал про Сюсю. Она, может быть, тоже плачет сейчас. Прошло ведь два года. А жизнь человека — такая же, как у деревьев в лесу. Поднимешь свою обреченную голову, шепнешь в облака: «Жить хочу, помоги!», а там и поникнешь, и весь ослабеешь. Придут с топором и порубят на части.

Плечо его в засаленной, тяжелой от пота гимнастерке стало мокрым от ее слез. Он тихо погладил ее по скользкой, тоже как будто раскалившейся и слегка дрожащей от рыданий косе. Дора подняла голову, притиснула его к себе обеими руками и быстро прижалась губами к его растрескавшимся губам. Дверь за их спинами громко хлопнула. На пороге, вся запорошенная, с белыми пушистыми ресницами и блеском своих круглых глаз сквозь ресницы, стояла сестра Доры Мириам, которую все звали Анечкой. Старухи в деревне о ней говорили: «мала больно, чистая кукла, не девка».

Она закусила губу и с каким-то диким озлоблением, которое было трудно даже предположить в девушке с такими лучистыми глазами, сказала раздельно:

— Я вас поздравляю.

И тут же исчезла.

— Ну, все, — прошептала испуганно Дора. — Теперь нам принцесса устроит! Увидишь!

Он бросился следом за Анечкой. Было совсем темно, какой-то слабый огонек — звезды или отблеска бледной звезды — тревожно замигал в небе, как будто ему подавали надежду, как будто бы чья-то душа — Зиги? Сюси? — хотела его поддержать в этом мире, который обоим уже был чужим. Торопливо ступая большими, с крепкими добротными заплатами на пятках, валенками, приблизились к дому жена Якова Палыча и Соня, двоюродная, приживалка.

— Ты, Лазарь, опять наших девушек ждешь?

— Нет. Анечка только что вышла куда-то, а Дора там, в доме.

Они удивились:

— А Анечка где?

Он не успел ответить: повалил такой снег, что все трое задохнулись от неожиданности.

— Ву майн тахтр?[1] — сквозь вату тяжелого снега услышал он голос испуганной матери.

Лазаря обожгло стыдом.

— Сейчас я найду ее, я приведу!

Он бросился направо и тут же провалился, зачерпнул валенком ледяного, пронзившего холода и, чувствуя, как в горле начинает стучать от страха, высвободился и, разгребая глубокий снег обеими руками, начал двигаться дальше. Вокруг было и темно, и одновременно странно светло от снега. Все звуки исчезли, только в голове стоял шум собственной крови.

— Унд во их бин?[2] — резануло его по самому сердцу, и твердая уверенность, что это конец, что он никогда не вырвется, никогда не увидит ни дома, ни мамы, ни Сюси, охватила его с такой силой, что он опустился на снег и зарылся в него всем лицом, как собака.

— Их бин им криг![3]

И тут же он вспомнил, что в этой метели нетрудно погибнуть, и нужно идти и искать эту девушку, которая так на него обозлилась. А что он ей сделал? Лазарь поднял голову. Снег валил на него сначала беспощадно, густо, яростно, но потом, на самой вышине, вдруг растворился на секунду, и прозрачный дым не то лунного, не то какого-то другого света еще раз блеснул на него. Он сделал шаг влево и сразу наткнулся на что-то живое. Сквозь белизну проступила фигурка Анечки, идущей навстречу ему, увеличенной едва ли не вдвое

---

[1] Где моя дочь? (*идиш*)

[2] А где я? (*нем.*)

[3] Я на войне! (*нем.*)

налипнувшим снегом. Лазарь снял рукавицу и коснулся ее холодного лица.

— Тебя там все ищут, — сказал он с усилием.

— И больше всех Дора, — с издевкой сказала она. — Я вся обморозилась здесь. Я шагу не сделаю больше.

Тогда он взял ее на руки и понес.

* * *

Ты мой ненаглядный. У тебя были глаза такой голубизны, что даже когда мы с тобой умирали, нам осталось два дня до минуты, когда лоб твой стал ледяным, ты вдруг посмотрел на меня тем вернувшимся, совсем молодым и совсем голубым, — таким голубым, что сейчас его чувствую, — сквозь всю нашу жизнь и сквозь все мое детство, — внезапно вернувшимся взглядом. Я помню.

* * *

В конце февраля Анечка, покусывая нижнюю губу, сказала матери, что ее все время тошнит. Весь этот месяц Иаков, наблюдая за своей любимой младшей дочерью, строптивой, упрямой, с лицом как у куклы, но с очень решительным, жгучим характером, чувствовал, что сердце его готово выскочить из груди от боли. Но, кроме боли, у Иакова, — Якова Палыча, всеми уважаемого бухгалтера совхоза «Сибирские выси», — была еще гордость, и именно гордость не позволяла ему схватить приблудившегося к ним красавчика Лазаря за его темно-русые кудрявые виски, притиснуть к стене и спросить:

— Ты, Лазарь, о чём себе думаешь?

А Лазарь не думал. Он приходил к ним в дом почти ежедневно, его там кормили и потихоньку вытягивали из его недозревшей испуганной души всё, что она накопила за жизнь. Они уже знали про маму и Зиги, про Грету и Лию, Наума, про доктора Унгара и про гимназию. Скрывал он от них только Сюсю. Дора страдала от неразделённой страсти и так безутешно плакала по ночам, что к утру наволочка её была насквозь мокрой. Анечка смотрела мимо Доры, мимо Сони и только, встречаясь взглядом с отцовскими настороженными и огорченными глазами, слегка поджималась, как будто робела. С Лазарем она стала женщиной. Это случилось через два дня после того, как он отыскал её в дымящейся вьюге и на себе приволок домой. Случилось внезапно, каким-то порывом, и Лазарь хотел даже встать на колени, когда она вся искривилась от боли.

— Прости меня, Анечка, я...

— Дурачок, — сказала она. — Ты ведь любишь меня?

Началась новая жизнь. Невыносимо острые, не до конца понятные ей самой ощущения, которые Анечка теперь испытывала всякий раз, когда они оставались наедине, наполняли её каким-то странным, раздраженным сознанием власти над ним, как будто бы он был рабом, а она — госпожою. И то, что он ярко краснел и стеснялся, смотрел так, как будто сейчас убежит, — всё именно это ведь и подтверждало! А Лазарь страдал от стыда, от неловкости, казалось, что он виноват перед нею, хотя было видно, что оба нуждались в здоровой телесной любви. Когда Анечка уводила его за занавеску, где стояла её кровать, накрытая связанным Соней одеялом, и требовательно смотрела на него своими очень лучистыми глазами, уверенная, что его нерешительность вызвана опасением, как бы не вернулся кто-нибудь из домашних, Лазарю всякий раз хотелось сказать ей, что у него есть Сюся, и поэтому даже если он никогда не ляжет с Анечкой на эту кровать и никогда не закричит от чисто физической, сладостной муки, во время которой мужчина не помнит, ни где он, ни кто с ним, то он очень скоро забудет и Анечку, и запах ее очень белого тела, и то, как она часто-часто моргает и не произносит ни слова во время их быстрых, пугливых, неловких сближений.

Через полтора месяца она сказала маме, что ее тошнит, и мама вместе с Соней — обе закутанные в пуховые деревенские платки и перепуганные насмерть — выпросили у Иакова лошадь с подводой, чтобы отвезти Анечку в больницу. Иаков низко опустил голову, и видно было, как у него задрожала левая щека.

— Что с Мириам? — спросил он глухим рваным голосом.

— Она нездорова, — сказала жена. — Пусть доктор посмотрит.

— Пусть доктор посмотрит. — Он побагровел. — А мы с тобой разве без глаз? Мы слепые?

В областной больнице высокая, похожая на мужчину, с мелкой, кудрявой растительностью над верхней губой и вдоль щек, фельдшерица обнаружила, что Анечка беременна. Выслушав эту новость, немые от ужаса мама и Соня дрожащими руками напялили на Анечку шубку, всунули в валенки ее крохотные ноги и, плача навзрыд все втроем, вернулись домой.

Иаков в железных очках и в ермолке сидел за столом, на котором лежала раскрытая Тора. Он сразу все понял.

— Иди сюда, Мириам. Садись и не бойся.

Лицо его словно подернулось пеплом. Стараясь не задевать взглядом ее тела, как будто бы в теле ее было что-то, чего он боялся, Иаков спросил, как же это случилось. Она промолчала.

— Тебе нужно замуж, — сказал он спокойно. — Где Лазарь?

— Но я не хочу еще замуж! Зачем мне? — И Анечка вспыхнула. — Я не хочу!

— Теперь уже поздно хотеть или нет.

Надел рукавицы, тулуп, волчью шапку. Ермолку сложил, завернул в кусок шелка. Прошел мимо Сони и мимо жены, как будто бы их вовсе не было в комнате. Через несколько минут, тяжело ступая валенками по скрипящему снегу, подвел уставшую лошадь к водовозке, и пока она бархатными, коричневыми губами пила из кадки, на которой разбила тонкий лед, ударив по нему мордой, обдумывал то, что ему предстоит. Было совсем темно, за снежной долиной, под которой стыла река, мертвым и неприкаянным светом блестел тонкий месяц.

Лазарь выскочил на крыльцо босым, в одной рубахе.

— Она ждет ребенка. Ты знаешь об этом?

— Я — нет! Она мне ничего не сказала! — И Лазарь закашлялся хрипло и громко.

— Убил бы тебя, но ребенка мне жалко. Хоть толку с тебя, как с козла молока.

— Но мы с ней распишемся! Я ведь согласен!

— Сначала меня бы спросил: я согласен?

В проеме двери показалась Анисья с лучиной, горевшей кровавым огнем.

— Здоровья вам, — громко сказала она. — Зайдите в избу, заметет.

— Здоровья и вам, — поклонился Иаков. — Мы поговорили уже. До свиданья.

Их расписали в областном центре Юзгино. На Анечке было красивое платье, и Соня связала ей белую розу, которую Анечка вдела в пучок. Туфельки, купленные еще в Москве, она надела прямо в санях, поэтому Лазарь, причесанный на косой пробор и ставший похожим на Зиги, нес Анечку, словно ребенка, до самых дверей неказистой конторы. В конторе стоял крепкий запах махорки и талого снега. Вечером состоялась свадьба. Дом Иакова жарко протопили, посреди его устроили хупу: натянули ярко-белую простыню на четырех высоких столбиках, и под эту простыню встали смущенные молодожены. Слепая от слез, пропитавших лицо и сделавших красными тени подглазий, сестра новобрачной держала свечу.

«Барух Ата Адонай, Элохейну Мелех ха-олам ашер бара сасон ве-симха, хатан ве-хала...» — серьезным, торжественным голосом нараспев произнес Иаков. — Благословен Ты, Господь наш Бог, Царь Мироздания, сотворивший веселье и радость, жениха и невесту...»

Лазарь смотрел на свою жену, у которой ярко горели щеки, а в лучистых глазах стояло диковатое удивление, потом переводил зрачки на ее отца, который мог бы, наверное, убить его за то, что он, не любя, сделал его дочке ребенка, и думал, что эти вот тихие люди спасли ему жизнь, и что, если бы Зиги увидел сейчас эту скромную свадьбу среди неподвижных алтайских сугробов, он был бы, наверное, рад за него.

* * *

На следующий день Яков Палыч, всеми уважаемый бухгалтер совхоза «Сибирские выси», начал хлопотать, чтобы мужу его младшей дочери разрешили перебраться к ним в барак и жить с ними общей семьёй. Пришлось дать хорошую взятку одноногому коменданту, но и от коменданта не много зависело. За взятку в военные их времена могли расстрелять и того и другого. В конце концов, случай помог: в школе умер директор, хороший мужик, на себе всё тащивший. Он преподавал и немецкий, и химию. Вот тут Яков Палыч подсунул зятька.

— Уж кто-кто, а Лазарь сумеет! Научит!

Никто ему не возражал. Одноногий, скрепя пьяное сердце, подписывал справки.

Анисья, прямая, в платке по глаза, стояла на верхней ступеньке крыльца.

— Иди суда, Лёша, хоть перекрещу. Ты лук у меня воровал по ночам, — сказала она. — Думал, бабка-то спит. А я не спала, я жалела тобя. Пускай, — говору, — хоть лучком поживится, а то ведь помрёт. Когда старики помирают, не жалко, а ты молодой.

* * *

Он больше не убивал деревья, предсмертный скрип которых наматывался на голову, как бинт, и не отпускал его ни днём, ни ночью, он преподавал теперь в школе, где строгие, с большими руками, уральские девушки всегда опускали глаза, отвечая. И спал он теперь не один, а с женой. Она заплетала кудрявые волосы, ложась с ним в постель, в очень толстую косу, конец у которой он ей перевязывал большой белой лентой с конфетной коробки, еще довоенной и очень нарядной.

Ночью Лазарь просыпался от того, что сердце его дико билось в груди. Ему это напоминало, как бились на рынке в родном его городе куры, которым особенно ловко и быстро, специальным топориком, резали головы. Анечка спала рядом, и ее лицо с размашистыми, как листья папоротника, ресницами во сне становилось задумчиво-детским. Лоскутное одеяло бугорком приподнималось на животе: до родов осталось чуть больше недели.

Чего он боялся? Того, что ребенок умрет. Того, что придут и его арестуют. Того, что нет мамы, нет Лии, нет Зиги, Наума и Греты, Арона и Сюси. Есть только война. И война — это жизнь.

Ребенок родился в четверг. Хрупкий мальчик. Глаза как у матери, но голубые. Октябрь был теплым. Когда они возвращались из больницы, подул свежий ветер, и белую гриву их лошади вдруг позолотило слепящим закатом. Приблизив ребенка к лицу, Лазарь начал его согревать осторожным дыханьем. Ребенок поморщился, но не проснулся.

Ты — мой ненаглядный. Теперь, в том пространстве, где все — только свет и куда не смогу пробиться до срока, — ты помнишь все это? А помнишь, как ты мне сказал «моя доченька», когда уходил, оставлял меня здесь?

ДЕД

Закрываю глаза и вижу этот переулок. Первый Тружеников. Двухэтажный деревянный дом, в котором я прожила первые десять лет своей жизни, и маленькую церковь на той же, правой, стороне улицы, где Чехов венчался с Ольгой Книппер, и угловой дом, на втором этаже которого жила моя одноклассница Алка Воронина, и у ее мамы, работающей в ГУМе продавщицей, часто бывали гости.

Я никогда не представляю себе его летом, всегда только зимой. Странная вещь — воображение: вижу не только снег, от которого бела и пушиста мостовая, но чувствую его запах, слизываю его со своей горячей ладони, только что больно ударив ее на ледяной дорожке, которые мы называли «ледянками» и на которых всегда звонко падали, особенно лихо разбежавшись. Когда я родилась, парового отопления в нашем доме еще не было, отапливали дровами, и особым наслаждением было ходить с дедом на дровяной склад — по раннему розовому морозцу — выбирать дрова. Так чудесно пахло лесом, застывшей на бревнах янтарной смолою, что жалко было уходить из этого мерцающего снегом и хвоей царства, где свежие дрова лежали высокими поленницами и покупатели похлопывали по ним своими рукавицами, прислушивались к звуку и даже, бывало, принюхивались.

Дед умер, когда мне было семь лет, и самое яркое воспоминание о нем связано с тем, как последней перед школой зимой меня решили поглубже окунуть в детский коллектив, покончить с моею застенчивостью, но в сад отдать все-таки не захотели, а выбрали для этой цели «группу». «Группами» называли детей, гуляющих в сквере с интеллигентной дамой, а чаще старушкой из «бывших», которая играла с этими (тоже обычно интеллигентными!) детьми, водила с ними хороводы и заодно пыталась заронить в их беспечные головы несколько иностранных слов, обычно немецких и реже — французских. Таким образом здоровая прогулка на свежем воздухе совмещалась с образованием. Сначала меня записали к Светлане Михайловне, женщине румяной, круглоглазой и очень крикливой, но вскоре выяснилось, что ни одного иностранного языка Светлана Михайловна не знает, и меня перевели в другую группу, поменьше, где худенькая старушка Вера Николаевна с каким-то хрустальным пришепётыванием легко переходила с одного иностранного языка на другой, но главное: только увидев меня, сейчас же вскричала: «Мальвина!» Чем очень понравилась бабушке.

Меня привели в сквер, как и полагалось, к десяти. Привел дед и, оглядев всех детей, а особенно Веру Николаевну, зоркими и умными глазами, пошел было к главной аллее (мы гуляли в маленькой, боковой!), чтоб выйти из сквера на улицу.

Я зарыдала и бросилась его догонять. Вера Николаевна бросилась за мной, интеллигентные дети, побросав свои лопатки, бросились за Верой Михайловной, и, хрустя по чистому, еще не исхоженному снегу своими валенками, мы все догнали деда и окружили его. Я, не переставая рыдать, уткнулась в карман его тяжелого добротного пальто, где лежали ключи. Дед растерялся. Меня необходимо было заставить остаться в этом хорошем детском коллективе, потому что иначе как же я пойду в сентябре в школу — такая вот дикая, странная девочка? Но при этом звук не то что моих рыданий, но даже легкого всхлипывания действовал на деда так неотразимо тяжело, что лучше уж было забрать меня сразу домой, пойти со мной вместе на склад, в военторг, где круглый год продавались елочные игрушки, и даже пойти в гастроном на углу и позволить мне выпить стакан томатного сока из общего, слегка ополоснутого стакана, что было строжайше запрещено бабушкой. И соли туда положить тоже общей, кривой и обугленной ложкой.

Умная и, думаю, всякого повидавшая на своем веку Вера Николаевна, хрустально пришептывая, предложила деду гениальное решение: сесть на одну из массивных лавочек с ажурными, утопающими в снегу лапами, спиной к нам, резвящимся на иностранном языке в маленькой боковой аллее, и так просидеть три часа. И я успокоюсь, поскольку дед рядом, и буду с детьми, как о том и мечтали.

И он послушался её, вернее меня, моих этих слез, и капризов, и криков. Он сел на лавочку, стоящую на центральной аллее, а я с остальными детьми вернулась к тому столетнему дереву с дуплом, под которым полагалось водить хороводы. И заигралась, конечно, забыла о нем, увлеклась своей новой и полною жизнью. Но каждые десять-пятнадцать минут я спохватывалась, бросала лопатку, бросала «куличик», слегка кривобокий от формы ведерка, и переводила глаза на эту лавочку, над которой возвышалась прямая спина моего деда, посеребренная мягко и медленно идущим с небес снегом. Один раз я не увидела его на этой лавочке и уже приготовилась зарыдать, но тут же успокоилась: дед никуда не ушел, он просто окоченел и потому подпрыгивал рядом, похлопывая себя по бокам и растирая щеки варежками. Ровно в час дня культурная и оздоровительная прогулка закончилась, и мы, взявшись за руку, пошли домой.

— Не замерзла? — спросил меня дед.

Я отрицательно покачала головой: новые впечатления переполняли меня.

И так продолжалось до самой весны: он сидел на лавочке, я играла с детьми. Он мерз, я сияла от счастья. Откуда мне, шестилетней, было догадаться, что значит сидеть три часа на морозе во имя любви?

КАК МОЙ ДЕД
ВЗЯЛ ЗИМНИЙ

Оле

Я пошла в первый класс. Жизнь наступила ужасная. На одном уроке учительница Вера Васильна, рыжая и огромная, с ярко начерненными бровями, ударила меня кулаком по руке, и на ней осталось большое красное пятно. На другом я тихо описалась, но звук оказался таким беспощадным, как будто скатился какой-нибудь Терек. Это было не в самый первый день, то есть не первого сентября, а, может быть, пятого или шестого, но ужасная жизнь началась сразу же, как только дети сложили свои астры и георгины, завернутые в газеты, на стол посреди вестибюля. Меня оторвало от бабули, прижало лицом в чей-то круглый затылок, и, ставши вдруг частью испуганной гусеницы из маленьких ног и бантов, я взобралась на второй этаж, где очень приятно пахло масляной краской, которая напомнила то, как в начале лета красили пол на даче. Я обрадовалась этому запаху, как, наверное, какие-нибудь узники в своих крепостях радуются, если на их зарешеченное окошко вспорхнет вдруг случайная птичка.

Тогда я, впрочем, ничего не знала ни о крепостях, ни об узниках. Я, если честно признаться, мало что знала о жизни, кроме того, что есть зима, когда волокнисто вздымается снег и каждая снежинка вспыхивает под светом уличного фонаря, и есть еще лето, когда мы гуляем в лесу и рвем в нем ромашки. В моей прежней жизни тоже были, конечно, сильные переживания и громкие восторги, но меня не били кулаками по руке, и я ни разу не слышала слова «строимся». Тем более я знать не знала о том, что была революция. О царе я, правда, слышала, но только из сказок, и не успела обратить на него должного внимания, потому что женственное с самого младенчества сознание мое было целиком поглощено царицами и царевнами. Первого сентября выяснилось, что был царь, который так издевался над простыми людьми, что все эти люди собрались вместе, схватили в руки красные флаги (и ружья, конечно, схватили!) и свергли царя. Что такое «свергли», я сразу поняла: он спал на перине, и тут его «свергли».

К ноябрьским праздникам моя беспечная душа окончательно омрачилась. Каждая вспыхивающая под светом уличного фонаря снежинка покраснела, потому что в школе постоянно говорили о крови. Кровь эта, как выяснилось, бурлила буквально повсюду: солдаты проливали кровь за Родину, революционеры боролись до последней капли крови, буржуи и помещики пили кровь из народа, и все, что я по своей наивности прежде принимала за летние цветы и ягоды, было результатом все той же невиданной крови: «не зря мы кровью нашей окрасили поля: цветет — что день, то краше — Советская земля!»

То, что дома от меня скрывали самую главную правду и я ничего не знала о том, что царя «свергли», а целых семь лет все каталась на санках да в темном лесу собирала букеты, вызвало во мне испуг. Нужно было срочно исправлять жизнь. Менять ее так, как теченье реки меняют строительством грозной плотины. Мы жили в деревянном доме. Квартира была коммунальной. У нас было две смежных комнаты, а в двух других, тоже смежных, жила очень высокая, с огромною грудью и темным венком из косы тетя Катя, «отбившая», как говорили, себе дядю Сашу, который ей был по плечо и к тому же татарин. Я тогда не знала, что есть разные народы и национальности, а думала, что «татарин» — это то же самое, что дворник. Дядя Саша был дворником и, пока тетя Катя не «отбила» его, скреб своей лопатой наш тихий переулок. Потом она его «отбила», и он стал работать на заводе. В доме напротив, тоже деревянном, жила моя подруга Алка Воронина. У Алки Ворониной была мать, работник торговли, и бабушка-пьяница. До школы мы не очень знали друг друга, потому что меня растили неправильно и, как говорила учительница Вера Васильна, «не готовили к жизни», но теперь, оказавшись в одном и том же первом «А», мы с Алкой сдружились, и она торчала у нас до самого вечера. К тому же и к маме ее ходил «хахаль», которому Алка мешала. Я думала, что «хахаль» — это клоун с рыжими волосами, и не понимала, зачем он к ней ходит, но Алка сказала, что «хахаль» — мужик, и я успокоилась. Перед самыми каникулами Вера Васильна наконец подробно объяснила, как было дело: царь и его слуги спрятались в Зимнем, огромном дворце в Ленинграде, где их охраняла вся царская армия, но, как только с крейсера «Аврора» раздался залп, революционные солдаты и матросы ворвались в огромный дворец, и Зимний был «взят». В доказательство того, что в ее словах — все правда, Вера Васильна, смаргивая ресницами слезы, показала нам картину «Штурм Зимнего». Картина произвела на меня оглушительное впечатление. Люди с винтовками бежали прямо в огонь. Орали при этом так громко, что даже и мне было слышно. Картина дымилась, сверкала: на ней *брали* Зимний.

Ночью я проснулась. Мирный ноябрьский снежок шелушился на крыше высокого каменного дома, который было хорошо видно из моего окна. Свет ночника мягко золотил старинную акварель, где в нежных кудрях молодая красотка смеялась смущенно, лукаво, испуганно. Еще был ковер над кроватью: лиса, несущая в горы какую-то курицу. А если бы Зимний не взяли так вовремя, то нас никого бы здесь не было. Слезы подступили к моему горлу, и горячая соленая вода залила лицо. Я с трудом удержалась от рыданий, но что-то сверкнуло в моей голове. Такое прекрасное, светлое, сильное, что я моментально заснула от счастья.

Назавтра наступили каникулы. Алка Воронина пришла к нам обедать и с гордостью сообщила, что у них гости: к хахалю приехали брат с женой и друг, с которым хахаль служил в армии. Теперь все «гуляют». У нас было тихо. Красотка в кудрях, тетя Катя в переднике. Тетя Катя была строга, «гулять» не любила сама и дяде Саше не позволяла. Однако пекла пироги и варила холодец, поглядывая на портрет Сталина, украсивший общую кухню. Мы с Алкой сидели на подоконнике, поджав под себя ноги, и смотрели на улицу. Внутри ослепительно ясного снега шатались какие-то пьяные.

— Мне главное, чтобы мать снова пить не начала, — рассуждала Алка. — Тетя Таня говорит: «Если мать снова пить начнет, я тебя к себе заберу, не дам тебе помереть».

Алкина жизнь была полна опасностей, дни ее, в отличие от моих, были яркими и свежими: то хахаль, то гости, то пьют, то гуляют. Теперь: «помереть не дадут».

Тогда я решилась.

— Пойдем, — прошептала я Алке, спрыгивая с подоконника. — Я тебе одну вещь расскажу.

В маленькой комнате спала домработница, в большой лежала на диване бабуля и читала. Папы дома не было. Фотографии умерших мамы и деда висели на стенах.

— Куда пойдем?

— Пойдем на кухню, — приказала я. — Здесь не могу.

На кухне сидел дядя Саша и парил в ведре ярко-красные ноги. Обычно он делал это по вечерам, но сегодня по случаю наступившего праздника, начал прямо днем, не дождавшись, пока закатится солнце. В руках у дяди Саши была газета, которую он громко читал вслух по слогам. Мы с Алкой попили воды из-под крана.

— Пошли в уборную, — сказала я. — Там никого нет.

Уборная была самым теплым в квартире и очень уютным местом. Стены ее, выкрашенные в темно-зеленую краску, располагали к задумчивости.

— Алка! — прошептала я. — Мой дедушка взял Зимний дворец!

Алка открыла рот и ахнула.

— Когда?

— Как когда? В октябре!

— Откуда ты знаешь?

— Он сам мне сказал. Перед смертью.

Алка горячо заплакала и обняла меня. Я тоже заплакала.

— Чего ж ты молчала? Сказала бы Вере Васильне!

Я всей душой верила, что мой дед взял Зимний, и это его я узнала в одном из бегущих вчера на картине. Конечно, тот, слева. А может быть, справа.

— Он был героем-революционером, — дрожащими губами уточнила я, и сердце ударило в самое горло. — Он жизнь свою отдал борьбе.

Мощная ладонь тети Кати хлопнула по двери.

— Чего там заперлись?

— Сейчас! Погодите! — и я отмахнулась.

— Гони их, Катюша! — солидно сказал дядя Саша. — Они уже час там сидят.

— Перед самой смертью, — задыхаясь и торопливо сглатывая слезы, продолжала я, — он подозвал меня к себе и сказал, что взял тогда Зимний дворец.

— А бабушка знает?

— Наверное, нет. Он сказал: «никому».

— Да что вы там? Ай обоссались? — спросила сквозь дверь тетя Катя.

Она любила меня и терпеть не могла Алку, которая, будучи дочкой «гулящей», могла научить меня ужас чему.

— Катюша, я тоже хочу в туалет, — сказал дядя Саша, любивший слова покрасивей. — Гони их оттуда взашей.

Мы вышли. Тетя Катя всплеснула голыми руками в муке.

— Так что ж вы тут делали?

Ночью я не могла заснуть. Тело пылало под одеялом, а память восстанавливала минуту, как дед (тут перед глазами возникала некоторая путаница между моим настоящим дедом, высоким, худым, серебристо-небритым, и этим матросом, который был слева!) подозвал меня к своей кровати и повторил все, что вчера рассказала чернобровая Вера Васильна, тыкая указкой в картину. Утром оказалось, что у меня температура, и я проболела не только каникулы, но целых три дня после этих каникул.

Когда я за руку с бабулей вошла в школьный вестибюль, оба наших класса «А» и «Б» были уже построены и развернуты лицами к лестнице. Бабуля приготовилась извиняться, но Вера Васильевна, вся разрумянившись, шагнула навстречу, как будто бы мы принесли ей подарки.

— Иди скорей, стройся! — сказала она и расправила брови.

На перемене Вера Васильна подошла ко мне:

— Панкратова!

Мы с Алкой гуляли по коридору.

— Воронина, погуляй одна! — сказала Вера Васильна. — Панкратова, иди за мной!

В пустом классе были открыты форточки: помещение проветривали, и пахло немного бензином и снегом.

— Твой дедушка был революционером? — волнуясь, спросила она.

Я покраснела так, что школьное платье прилипло к спине.

— Да, был. Он взял Зимний дворец.

Большое лицо Веры Васильны пошло пятнами, похожими на гроздья рябины.

— Панкратова! Что же ты раньше молчала? Твой дед был героем. Теперь весь наш класс будет этим гордиться.

Глаза ее увлажнились, и она быстро погладила меня по голове.

После уроков Вера Васильна, расталкивая учеников и родителей, протиснулась к бабуле, ждущей на лавочке в вестибюле с моей шубой и валенками на коленях. Бабуля испуганно приподнялась.

— Мы узнали, что ваш муж принимал участие в штурме Зимнего дворца, — сказала Вера Васильна, схватив сильными пальцами ее руку.

Бабуля выронила валенки.

— Ваша внучка рассказала об этом своей подруге Ворониной, а Воронина рассказала мне.

Тот страх, который сковал бабулю, был вряд ли подвластен словам. Но опыт всей прожитой жизни был равен наставшему страху. Она усмехнулась:

— Болтушка какая! Вот хвастаться любит!

— Какое же тут хвастовство? Ведь этим же нужно гордиться!

— А мы ей всегда говорим, — не чувствуя губ, языка, неба, рук и мелко дрожа, отвечала бабуля, — что каждый лишь сам за себя отвечает и нужно своими заслугами жить. За спину другого не прятаться.

— Но если в семье есть герой?

— Ах, что тут такого? У нас вокруг много героев.

— Так я расскажу на линейке ребятам? — полувопросительно сказала Вера Васильна.

— Вы знаете, лучше не нужно! Когда это было! Воды утекло! — Бабуля махнула рукой. — А ей привыкать к хвастовству! Она вон и так ни уроки не учит, ни книг не читает. Скажу ей: «посуду помой» — не желает! А тут и вообще ведь от рук отобьется! Нет, очень прошу вас, не нужно!

Бабуля повела меня домой, ухватив за воротник и даже не взяв у меня портфеля, который волочился за нами по снегу. Дома она села на стул и расплакалась.

— Господи! — заговорила она сквозь слезы, глядя на висевшие по стенам фотографии. — Господи! Ты меня слышишь! Набитая дура растет! Взяли Зимний!

БЫВШИЕ

Дача принадлежала двум семьям: моему деду с бабушкой и родной сестре деда Антонине Андреевне с мужем Николай Михалычем. Мы занимали первый этаж «большой» половины дома, а деда родная сестра Антонина — первый этаж «маленькой». У нас была застекленная терраса, на которой стояли кресла со львами на ручках, у них — терраса была открытая и мебель стояла простая, плетеная. Наверх вела лестница, такая извилистая и темная, что на ней можно было спрятаться, стоя во весь рост. Черно, жутковато, никто не отыщет. На втором этаже, где солнца особенно много и жарко, были две комнаты с чуланом, который назывался пушистым, как птенчик, и ласковым словом «боковушка». В одной из комнат — окно во всю стену, еловые ветки. Хотели срубить, но потом пожалели, и ель нависала над комнатой сверху.

Все пахло по-своему, неповторимо. Особенно тамбур, где стояли ведра с питьевой водой, и боковушка, где пыль нагревалась, как пудра на скулах. К середине июня «маленькая» половина пропитывалась запахом жасмина, который рос прямо у крыльца и землю забеливал густо, как снегом. На нашей террасе, где много варили, сначала ужасно несло керосином (варили на

49

примусе!), а позже, в связи с улучшением быта, запахло не сильно, но все-таки газом, который дважды в неделю привозили в красных баллонах, и запах был нежным, слегка кисловатым.

На нашей, «большой» половине — кто жил? Жила я, жила моя бабушка, быстрая, с открытой и умной душою, жил дед, худощавый, печальный, жила домработница Валька. О ней и рассказ.

Хотя, впрочем, нет. Нельзя и представить себе, что я обойду без причины вторую, «маленькую», половину нашего деревянного, у леса — последнего, с пышным жасмином, клубникой, малиной, залитого солнцем, далекого дома, почти родового гнезда, колыбели. Где все, кто в нем жил, уцелели случайно. И дед, и сестра Антонина с супругом, а также граф Болотов, Федор Петрович, поселившийся наверху, на Антонининой половине, и милая, стройная, с коком, княгиня Лялька Головкина. Вот, кто уцелел, их немного. Граф был длинноносым, лысым и мнительным человеком, женатым на деда племяннице Ольге, которую мучил тяжелым характером. А Лялька Головкина («шляпа», как нежно звала ее бабушка) жила со своим третьим мужем, Владимир Иванычем, тихим и милым, в той комнате, где боковушка с оконцем. Народу немного, страстей — выше крыши. И страсти кипели, подобно малине, червивой, немного подгнившей, но сладкой, которая шла в варенье. А крупную и без червей — просто ели.

Нельзя приступить сразу к Вальке. Обидно. Сначала нужно сказать, что граф Федор Петрович семь лет подряд не разговаривал с княгиней Головкиной, которая вечно смеялась своим очень вежливым, слабым, ехидным, но слуху любого приятным сопрано. Однажды, услышав, что графа «знобит», причем ежедневно и ровно в четыре, княжна досмеялась до сильной икоты, о чем сообщили немедленно графу, и он перестал разговаривать с Лялькой. Озноб как и был, так, конечно, остался, а «шляпу» — княгиню — граф вычеркнул сразу. И даже если она со своим немного косящим, ясным взглядом проходила мимо его тощей фигуры, когда он работал в саду острыми и страшными садовыми ножницами (и близко совсем проходила, и мягко!), пытаясь сказать ему «доброе утро», граф только бледнел крепким лбом под беретом и низко склонялся к напуганным флоксам.

Жили, однако, весело. В пять сходились к вечернему чаю на открытую террасу. Жасмином дыша, ели каждый — свое, но чай был совместный, и, если пирог или мусс из малины, то это всегда полагалось съесть вместе. Свое приносили по разным причинам. Граф Федор Петрович не мог без «галетов». Они были белыми, хрустящими, с золотистыми прыщиками, и их полагалось намазывать «джемом». Слова иностранные «джем» и «галеты» звучали, как джаз, о котором не знали. Родная сестра Антонина («баб Туся») любила чего поплотнее, послаще. Ну, сырников, скажем, с вареньем, сметаной. Сама их пекла и сама же съедала. Николай Михалыч однажды провел целый месяц в болоте, — военным врачом, попав в окруженье. Шел год сорок третий. Как выжил, не знаю. Вернулся, отмылся, седой, меньше ростом. Сказалось на многом, включая питанье: любил сухари с кипятком, и чтоб — вдоволь. А чаю не пил никогда, рук не мыл, клубнику ел с грядки, с прилипшей землею. До смерти с трудом дотянул, всех боялся. Диагноз шептал, а ресницы дрожали. Конечно: болото. А впрочем, не только.

Ведь я говорю: уцелели случайно. Сперва революция. Нет, сперва — детство. Со сливками, няней, мамашей, папашей. Учили французскому, девочек — танцам. Каток, поцелуи, гимназия, выпуск. Потом революция. Девочек, ставших девушками, разобрали мужчины (кто честно женился, кто так, между делом), но этих мужчин убивали нещадно. У Ляльки, княгини, двоих. Владимир Иваныч был третьим, он выжил. А граф с этим вечным досадным ознобом в анкетах писал, что отец его — слесарь. Дрожали всю жизнь, но жасмин был жасмином, и чай полагалось пить в пять. Вот и пили. А рядом, в лесу, куковала кукушка. Считали «ку-ку» с замиранием сердца.

Минут через сорок по дачам проносился крик: «Воду дали!» Люблю этот крик, до сих пор его слышу. Без десяти шесть начинали поглядывать на часы, без пяти — переглядываться. Кусок больше в горло не лез, и кукушка смолкала. Без трех минут шесть опускали глаза, чтобы не видеть пустого крана в саду. Он мертв был, безволен, заржавлен, несчастлив. Но чудо! Кран вдруг начинал просыпаться и фыркать, как конь, и давиться, и кашлять. А в шесть! В шесть брызгал из его пересохшего горла темный сгусток, как будто кран сплевывал желчь со слюною, и тут же, — сверкая, дрожа от свободы, сама расплетая себя, словно косу, — о, тут начиналась вода! Вскакивали, бежали за ведрами. Граф — первым, княгиня — последней. Забыть эту воду, бьющую в кривые от старости ведра, в их синие, серые в крапинках тельца, забыть ее вкус — вкус самой моей жизни — почти то же самое, что забыть собственное имя. Не дай Бог такого. Несли ведра в тамбур, как флаги победы.

Среди этих людей, «бывших», как говорила моя бабушка, румяная круглая Валька была чем-то вроде чужого ребенка. Ее и жалели, и грели, и тут же шпыняли (поскольку «прислуга»!), боялись при ней говорить откровенно, однако охотно дарили подарки, она была частью их «бывшего» мира, в котором всегда были «вальки» и «ваньки», но поскольку самого этого мира больше не было, то и Валька не *прирастала* к ним, а как-то скорее *мелькала, сквозила*. Могла и исчезнуть в любую минуту. Откуда же в красной России — «прислуга»? Господ-то лет сорок назад перебили.

Румяная круглая Валька появилась в качестве «нашей» домработницы (мы ее и вывозили на дачу!), но обедала и подарки получала не только на нашей, «большой» половине, но и на «маленькой», и если, уехав в город на свой законный воскресный выходной, она не возвращалась обратно с восьмичасовой электричкой, то все волновались, вздыхали и ждали.

А тут и настал фестиваль молодежи. Москва расцвела, как невеста в день свадьбы. Дворники, опустив узкие глаза, с рассвета мели переулки. Увечных и нищих с детьми и бездетных свезли, куда следует, чтоб не мешали, на месте их жизни взыграли фонтаны. Все те, кто мог, покидали жилища, спеша поучаствовать в празднике мира, а тот, кто не мог, прилипал к телевизору. Экраны были маленькими, пучеглазыми, и всемирная молодежь казалась немного сплющенной.

Валька начала готовиться к фестивалю зимой. Пошила два платья: одно — из сатина, другое, в горошек, из жатого ситца. С приходом весны чисто выбрила брови и стала каждую ночь накручивать волосы на большие железные бигуди. Привыкла, спала в бигудях, как убитая. Но главное: вся налилась ожиданьем. В начале мая, когда по оврагам, где думал он спрятаться и отлежаться, растаял весь снег, Валька заявила, что уходит в десятидневный отпуск. Не все же белье полоскать в сонной речке и слушать лесную кукушку с террасы! К тому же вокруг старики и старухи. Бабушка моя с ее ясным умом и открытым сердцем поняла, что Вальку не переспоришь, глаза опустила, на все согласилась.

Спросила одно:

— Ночевать-то где будешь?

— А что ночевать? Ночевать буду дома, — простодушно ответила румяная прислуга.— Гулены одни по вокзалам ночуют!

У бабушки отлегло от сердца: бесхитростное колхозное дитя смотрело открыто, сияло доверьем, и лак на ногтях был краснее рябины. В первый день наступившего отпуска Валька выплыла на большую террасу белым лебедем. Терраса, набитая «бывшими», ахнула. Новые босоножки (из каждой робко вылезало по неуклюжему мизинцу), высокие кудри, и брови, как уголь, и губы в помаде.

— Тебе бы очки еще, Валя. От солнца. Ну, как теперь носят... — вздохнула княгиня.

Находящаяся в отпуске Валька отвернулась, пошарила в сумочке. Потом повернулась обратно, надменная. Очки на глазах. Вот вам. Все как в журнале.

— Ох, Валя! — сказал ей Владимир Иваныч.

— Бегу! — ответила ему Валька. — Загорский могу пропустить, опоздаю.

— А кто тебя ждет? — хмуро спросил мой дед.

— Одна не останусь! — звонко отрезала прислуга. — Поди, не в деревне, людей — не сочтешься!

И птицей в калитку.

— Ну, все! Ускакала! — сказал хмурый дед и укоризненно посмотрел прямо в светло-черные бабушкины глаза. — Ведь я говорил: не пускай. Дура-девка!

— А что я могла? За подол уцепиться? — отводя глаза, пробормотала бабушка. — Вернется, куда ей деваться?! Вернется!

Вернулась за полночь. «Бывшие» сидели на террасе, дышали жасминовым снегом и ждали.

— Ну, что? Ну, рассказывай!

Валька томно уронила сумочку прямо на стол, глаза закатила, а губы надула.

— Приехали к нам, — скороговоркой ответила она. — Кто черный, кто желтый. Кто с Африки, кто с Аргентины. Индусы. Все голыми ходят.

— Как голыми, Валя? — прошептал Николай Михалыч и испуганно опустил глаза.

— А так! Очень просто. — задиристо срезала Валька. — Накинут халатик и — здрасте! Привыкли там, в этом... В Бомбее. Жарища!

— А что на ногах?

— На ногах? Сан-да-леты!

«Бывшие» переглянулись: «галеты» мы знаем, теперь: «сандалеты». Запомнить легко, лишь бы не перепутать.

— Поди, Валька, выспись, — сказал ей мой дед. — Опять небось завтра поедешь?

— Еще бы! — вскрикнула уязвленная Валька. — Не с вами сидеть, когда люди гуляют!

А люди гуляли. Молодежь обнималась со студентами, студенты с молодежью. Эскимо было съедено столько, что улицы стали серебряными от оберток. Русоголовые девушки скрывались в кустах Парка имени Горького и там подставляли себя поцелуям больших, белозубых и сильных приезжих. Был мир во всем мире и страстная дружба.

«Бывшие» следили только за тем, где шалая девка ночует. Но «девка» ежедневно возвращалась на последней электричке, со станции шла всю дорогу босая, несла босоножки в руках, напевала. Слова незнакомые: может, на хинди.

Но все завершается. Все. Посмотрите! Все как-то — увы! — подсыхает и гаснет. Возьми хоть цветок полевой, хоть синицу. Куда подевались, зачем народились? Вот так же и мы, так же эти студенты. Гуляли, гуляли и — тю-ю-ю! — улетели. Стал город пустым, постаревшим и грустным. И лето закончилось. Пышные астры в своей погребальной чахоточной силе раскрылись на клумбах, пошел с неба дождик... Короче: тоска, наваждение печали. Дачники вернулись обратно в коммуналки, перетащили туда банки с вареньем, бутылки с наливками, дети (садисты!) — коллекции бабочек, в муках умерших.

И вот однажды... Однажды в ту коммуналку, где я родилась и росла, где топилась большая голландская печка, пришел почтальон. Он пришел, маленький, серенький, слегка запыхавшись, с матерчатой сумкой, и дал моей бабушке в руке повестку.

— Вот вам. Распишитесь.

Она помертвела. Она расписалась. На ватных ногах добрела до дивана, раскрыла конверт. Ей, Е.А. Панкратовой, и мужу (Панкратову также, К.А.), приказывалось явиться к следователю по особо важным делам товарищу Хряпину в 10.00. И адрес указан: Лубянская площадь.

Бедная голубка моя! Не дряхлая, нет! Моя бедная! Вижу, как она — белее жасмина, белее сметаны — снимает трубку, чтобы позвонить деду, и снова кладет эту трубку обратно. Потом она достает папиросу из начатой пачки и не может зажечь спичку, чтобы прикурить: так прыгают пальцы. Потом — очень тихо — хватается за голову. Потом — очень медленно — набирает телефон Антонины. Когда та подходит, она говорит: «Приезжай». Через час приезжает сестра Антонина Андревна. Они сидят вместе и шепчутся.

— Туся! Ведь нас заберут.

— Что ты, Лиза!

— Мешочек где — помнишь? С колечками?

— Мешочек? Да. Помню. Они ведь там оба?

— Да, оба. И там же браслет.

— Что ты, Лизанька? Будет...

— Все — девочке, Туся...

В семь часов вечера, замерзший от ветра, пришел дед с работы. Ему протянули повестку. Дед изменился в лице.

— Ну вот. Доигрались.

Бабушка прыгающими пальцами налила ему супу.

— Поешь хоть.

Дед поднес ложку ко рту и опустил обратно в тарелку.

— Не хочется, Лиза.

Потом Антонина ушла, сильно сгорбившись. Потом хлынул дождь, ночь настала. Трамвай отзвенел за окном, все затихло. Не спали, шептались.

— Как думаешь, Костя? За что?

— Кто их знает!

Ни свет ни заря — поднялись.

— Поехали, Лиза.

Лубянский проезд. Вот оно. А что же все дождь, дождь и дождь? Пока дошли, вымокли. Зонтик забыли. Тяжелая дверь. Не скрипит. Видно, смазали.

— Товарищи, вам на четвертый этаж.

Ну что ж. На четвертый.

— После *ее* смерти... Нам *некого*, Лиза, бояться. И нечего.

Имеет в виду: смерти дочери.

— Ах, только бы вместе! Ведь там, говорят, по отдельности, Костя. Мужчины и женщины. Все: по отдельности.

Вот он, кабинет. В.П. Хряпин. Наверное: Виктор Петрович. А может быть, Павлович, кто его знает.

— Зайдите, товарищи.

Зашли, наследили: ведь дождь, очень грязно.

— Простите, мы тут...

— Ничего. Подойдите.

Сидит за столом. Ни лица, ни обличья. Костюм серый, штатский. Очки. Сам безбровый. Глаза незаметные, нос незаметный, а рта вовсе нету. Какой же ты Хряпин?

Достает фотографию, показывает.

— Известен вам этот товарищ?

На карточке — важный, мордастый, заросший. Похож на «товарища» Маркса.

— Известен?

— Нет, первый раз видим.

—Смотрите внимательней!

Смотрят: мордастый.

— Нет, нам неизвестен.

— Тогда обьясните, зачем ему ваш телефон? И откуда? Кто дал ему ваш телефон?

Дед замечает, как у бабушки дрожат руки. Она прячет их под мокрую клеенчатую сумку, и сумка сама начинает дрожать. Убить бы вас всех, сволочей, негодяев, за Лизину дрожь.

— Мы этого *юношу* первый раз видим.

— Откуда же ваш телефон в его книжке?

Дед мягко разводит руками:

— Не знаем...

— Из вашей семьи кто принимал участие в фестивале молодежи и студентов?

Дед быстро наступает на бабушкину ногу под столом. Сигнал отработанный: время проверило.

— Какая же мы «молодежь»? Старики мы...

— Ну, может быть, дочка?

У бабушки сразу взмокают ресницы.

— Она умерла. — Дед бледнеет.

Не смотрят на Хряпина — мимо и выше: на небо за стеклами. *Там* наша дочка.

— Не знаете, значит?

— Нет, к счастью: не знаем.

Хряпин кривит то место в нижней части лица, где должен быть рот.

— Ну, что же... Не знаете, значит не знаете.

Выписывает две бумажки.

— Сержант Огневой! Проводите товарищей.

Сержант Огневой молод, строен, кудряв. Но веки красны: то ли пьет, то ли плакал.

— Идите за мной.

— Идем мы, идем. Нам ведь, главное, вместе.

— Покажете пропуск внизу. До свиданья.

Как пропуск — внизу? Значит, нас НЕ забрали? А вслух:

— До свиданья, всего вам хорошего!

Обратно под дождь.

— Костя! Что это было?

— Ну, Валька, ну, дура! Ты видела морду?

— Так он иностранец, наверное, Костя?

— А может быть, нет. Что по карточке скажешь? Ты, Лиза, ее не ругай. Дура-девка.

— О Господи! Что она видела в жизни? Одну нищету...

Вернулись домой. Валька жарит котлеты.

— Погодка сегодня! Куда ж вас носило?

— Дела, Валентина. Давай-ка обедать.

— Так я вас ждала! Очень кушать охота, сейчас принесу, — улетела на кухню.

— Включи, Лиза, радио. Пусть поиграет. Послушай меня. Я тихонечко, Лиза. Ты Вальке — ни слова. Ведь нас отпустили? Зачем же пугать ее?

— Незачем, Костя.

А Валька тем временем пела на кухне:

> Сорвала-а-а я цветок по-о-олевой!
> Приколола-а-а на кофточку белую-ю!
> Жду я, милы-ы-ый, свиданья с тобо-ой!
> А сам-а-а к тебе шагу не сделаю-ю-ю!

Бостон, 2009

НАПРЯЖЕНИЕ СЧАСТЬЯ

Зима была снежная, вся в синем блеске, и пахла пронзительно хвоей. У елочных базаров стояли длинные очереди, и праздничность чувствовалась даже внутри того холода, которым дышали румяные люди. Они растирали ладонями щеки, стучали ногами. Младенцы в глубоких, тяжелых колясках сопели так сладко, что даже от мысли, что этим младенцам тепло на морозе, замерзшим родителям было отрадно.

Я была очень молода, очень доверчива и училась на первом курсе. Уже наступили каникулы, и восторг, переполнявший меня каждое Божие утро, когда я раскрывала глаза и видела в ослепшей от света форточке кусок несказанно далекого неба, запомнился мне потому, что больше ни разу — за всю мою жизнь — он не повторился. Минуты текли, как по соснам смола, но *времени* не было, *время* стояло, а вот когда время *бежит* — тогда грустно.

Ничто не тревожило, все веселило. Новогоднее платье было куплено на Неглинке, в большой, очень темной уборной, куда нужно было спуститься по скользкой ото льда лесенке, и там, в полутьме, где обычно дремала, согнувшись на стуле, лохматая ведьма, а рядом, в ведре, кисли ржавые тряпки, — о, там жизнь кипела!

Простому человеку было не понять, отчего, с диким шумом Ниагарского водопада покинув кабинку, где пахло прокисшей клубникой и хлоркой, распаренные женщины не торопятся обратно к свету, а бродят во тьме, словно души умерших, и красят свои вороватые губы, и курят, и медлят, а ведьма со щеткой, проснувшись, шипит, как змея, но не гонит... Прижавшись бедром к незастегнутым сумкам, они стерегли свою новую жертву, читали сердца без очков и биноклей.

Мое сердце прочитывалось легко, как строчка из букваря: «мама мыла раму». Ко мне подходили немедленно, сразу. И так, как оса застывает в варенье, — так я застывала от сладких их взглядов. Никто никогда не грубил, не ругался. Никто не кричал так, как в универмаге: «Вы здесь не стояли! Руками не трогать!»

Ах, нет, все иначе.

— Сапожками интересуетесь, дама?

Я («дама»!) хотела бы платье. Ведь завтра тридцатое, а послезавтра...

— Да, есть одно платьице... Но я не знаю... Жених подарил... — И — слеза на реснице. Сверкает, как елочный шар, даже ярче. — Жених моряком был, служил на подводке... А платьице с другом своим передал... Ох, не знаю!

— А где же он сам?

— Где? Погиб он! Задание выполнил, сам не вернулся...

Не платье, а повесть, точнее, поэма. «Прости!» — со дна моря, «Прощай!» — со дна моря... Мне сразу становится стыдно и страшно.

— Ну, ладно! Была не была! Девчонка, смотрю, молодая, душевная. Пускай хоть она за меня погуляет! А парень-то есть?

— Парень? Нету.

— Ну, нету — так будет. От них, от мерзавцев, чем дальше, тем лучше! Пойдем-ка в кабинку, сама все увидишь.

Влезаем в кабинку, слипаясь щеками.

— Садись и гляди.

Сажусь. Достает из пакета. О чудо! Размер только маленький, но обойдется: уж как-нибудь влезу. (Погибший моряк, видно, спутал невесту с какой-нибудь хрупкой, прозрачной русалкой!)

— Ну, нравится?

— Очень. А можно примерить?

— Ты что, охренела? Какое «примерить»? Вчера вон облава была, не слыхала?

Мертвею.

— Облава?

— А то! Мент спустился: «А ну, все наружу! А ну, документы! «Березку» тут мне развели, понимаешь!» Достал одну дамочку аж с унитаза! Сидела, белье на себя примеряла. Ворвался, мерзавец! Ни дна ни покрышки!

Начинаю лихорадочно пересчитывать смятые бумажки. Бабуля дала шестьдесят. Плюс стипендия. Вчера я к тому же купила колготки.

— Простите, пожалуйста... Вот девяносто...

— Ведь как угадала! Копейка в копейку! Просила одна: «Уступи за сто сорок!» А я говорю: «Это не для продажи!» А ты — молодая, пугливая... В общем, не всякий польстится... И парня вон нету...

Сую все, что есть, получаю пакет.

— Ты спрячь его, спрячь! Вот так, в сумочку. Глубже! Постой, дай я первая выйду. А ты посиди тут. Спусти потом воду.

Минут через пять поднимаюсь наверх. О, Господи: свет! Это — вечное чудо.

Тридцать первого у меня гости. Заморское платье скрипит при ходьбе. Налезло с трудом, но налезло. (Не знаю, как вылезу, время покажет!) Готовлю по книжке салат «оливье», читаю: «Нарежьте два крупных яблока». Бегу в овощной на углу.

Продавщица сизыми, как сливы, толстыми пальцами ныряет в бочку с огурцами.

— А что же кривые-то, дочка?

— Прямые все съели!

— Да ты не сердись! Дашь попробовать, дочка? А то я вчера рано утром взяла, куснула один, так горчит, окаянный!

— «Горчит» ей! На то огурец, чтоб горчить! Не нравится, так не берите! «Горчит» ей!

— Да как «не берите»? Сватов пригласили!

— Пакет у вас есть? Он дырявый небось?

— Зачем же дырявый? Он новый, пакетик...

— Рассолу налить?

— Ой, спасибочки, дочка!

На яблоках — темные ямки гнильцы. Мороз наполняет мой бег звонким скрипом.

Дома напряжение счастья достигает такой силы, что я подхожу к окну, отдергиваю штору и прижимаюсь к стеклу. Все небо дрожит мелкой бисерной дрожью. Одиннадцать. Первый звонок. Три сугроба в дверях: подруга Тамара («Тамар» по-грузински!), любовник Тамары Зураб Бокучава, а третий — чужой, и глаза как маслины, залитые скользким оливковым маслом.

— Зна-а-комтэс, Ирина. Вот это — Георгий. В Тбилыси живет.

— Ах, в Тбилиси! Тепло там, в Тбилиси?

— В Тбилыси вчера тоже снэг был, но теплый!

У Томки с Зурабом — совет да любовь. Аборт за абортом. Зураб презирает метро, ездит только в такси. Пришлют ему денег, так он, не считая, — сейчас же на рынок. Накупит корзину чурчхелы, киндзы, телятины, творогу, меду, соленьев. Неделю едят, разрумянившись. Вволю. Гостей приглашают. Те тоже едят. Хозяин квартиры — второй год в Зимбабве, хозяйские книжные полки редеют: Ги де Мопассана, Майн Рида, Гюго снесли в магазин «Букинист» и проели. Зимбабве воюет, не до Мопассана.

Промерзшие свертки — на стол.

— Ах, коньяк? Спасибо! А это? Хурма? Мандарины! Вы что, только с рынка?

— Зачэм нам на рынок? Вот, Гия привез.

— Садитесь скорее, а то опоздаем! Пропустим, не дай Бог! Бокалы-то где?

Летаю, как ветер, не чувствую тела.

Звонит телефон. Беру трубку. Акцент. Но мягкий, чуть слышный.

— Ирина?

— Да, я.

— Я к ва-ам сейчас в гости иду. Где ваш корпус?

Зураб привстает:

— Это друг, Валэнтин. Хадили с ним в школу в Тбылиси. Нэ против?

— Ах, нет!

— Пайду тагда встрэчу. Мы с Гией пайдем.

— Зачэм я пайду? А Ирине па-амочь?

— Ах, не беспокойтесь!

— А што там на кухнэ гарит? Што за дым?

— Какой еще дым?

— Нэ знаю, какой, но я нюхаю: дым. Хачу посмотрэть. Пайдем вмэстэ, па-асмотрим.

На кухне целует в плечо.

— Да вы что?

Вздыхает всей грудью, со стоном:

— А-а-ай!

Грудь (видно под белой рубашкой!) черна и вся меховая, до самого горла.

— Я как вас увыдэл, так сразу влюбился!

Минут через десять Зураб приводит в дом остекленевшего от мороза, с нежнейшей бородкою ангела. На ангеле — белые тапочки, шарф, пиджак, свитерок. Все засыпано снегом.

— А где же пальто?

— Я привык, мне тепло!

Зураб обнимает стеклянного друга:

— Какое тэпло? Ты савсэм идиёт! Тэбэ нада водки, а то ты па-а-дохнешь!

— Садитесь, садитесь!

Часы бьют двенадцать. Успели! Ура!

...сейчас закрываю глаза и смотрю. Вот елка, вот люди. Гирлянды, огни. И все молодые, и мне восемнадцать. А снег за окном все плывет, как река, как пена молочная: с неба на землю.

Помню, что разговор с самого начала был очень горячим, потому что в комнате соединились трое молодых мужчин и две женщины, которых накрыло волненьем, как морем. Помню, что Гия громко, через весь стол, спрашивал у Зураба, сверкая на меня глазами:

— Ты можэшь так здэлать, шьтобы ана уезжала са-а мной в Тбылиси? Ты друг или кто ты?

Зураб отвечал по-грузински, закусывая полную, капризную нижнюю губу, привыкшую с детства к липучей чурчхеле. Потом очень сильно тошнило Тамар, и ей наливали горячего чаю. Потом танцевали, дышали смолой бенгальских огней вперемешку с еловой.

А утром согревшийся ангел раскрыл рюкзачок и вытащил груды страниц и тетрадей. Синявский, Буковский, «Воронежский цикл», «Стихи из романа Живаго», Флоренский...

— Я выйду на площадь! И самосожгусь! — сказал грустный ангел. Мы все присмирели. — Для честных людей есть один только выход.

Я в ужасе представила себе, как он, в простых белых тапках, с куском «оливье», застрявшим в его золотистой бородке, худой, одинокий, из нашего теплого дома пойдет сквозь снег и мороз прямо к Лобному месту, а там... Мы будем здесь есть мандарины, а он сверкнет, как бенгальский огонь, и погибнет.

Никто с ним не спорил, но стали кричать, что лучше уехать, что это умнее.

— Куда ты уэдеш? На чом ты уэдэш? — спрашивал Зураб, прихватив Гию за грудки.

А Гия, расстегнувший ворот нейлоновой рубашки, выкативший красные глаза и кашляющий от собственной шерсти, забившей широкое горло, кричал:

— Алэнэй любыл? Алэнатыну кушал?
— Зачэм мнэ алэни?
— Затем, — вдруг спокойно сказала Тамара, — что можно уйти вместе с северным стадом. Вода замерзает, оленеводы перегоняют стада в Америку. Или в Канаду. Я точно не знаю. Но многие так уходили. Под брюхом оленя. И их не поймали.

Я увидела над собой черное небо, увидела стадо голодных оленей с гордыми величавыми головами и покорными, как у всех голодных животных, влажными глазами в заиндевевших ресницах, увидела равнодушного эскимоса в его многослойных сверкающих шкурах (из тех же оленей, но только убитых), почуяла дикий неистовый холод, сковавший всю жизнь и внутри, и снаружи. И там — под оленьим, скрипящим от снега, худым животом — я увидела ангела. Вернее сказать: новогоднего гостя, но с мертвыми и восковыми ушами...

Тогда, в первые минуты этого робкого раннего утра, я не знала и догадаться не могла, что через несколько лет полного, избалованного Зураба посадят в тюрьму за скупку вынесенного со склада дерматина, которым он обивал двери соседских квартир (чтоб в доме всегда были фрукты, чурчхела, телятина с рынка!), Тамара, родившая девочку Эку с глазами Зураба и носом Зураба, сейчас же оформит развод и уедет, а Гия, вернувшись в свой теплый Тбилиси, исчезнет совсем, навсегда, *безвозвратно*, как могут исчезнуть одни только люди...

В восемь часов мои гости ушли, а весь самиздат почему-то остался. И отец, вернувшись с празднования Нового года, увидел все эти листочки: Синявский, Буковский, стихи из романа...

— Кто здесь был? — тихо спросил он, белея всем лицом и пугая меня этой бледностью гораздо больше, чем если бы он закричал. — Что тут было?

Я забормотала, что люди — хорошие, очень хорошие...

— Что ты собираешься делать с *этим*? — И он побелел еще больше.

— Не знаю...

Я правда не знала.

— Ты *этого* — слышишь? — не видела! *Этого* не было.

— Но мне это дали на время, мне нужно вернуть...

— Ты *этого* видеть не видела, я повторяю!

И бабуля, только что приехавшая от подруги, с которой до двух часов ночи смотрела по телевизору новогодний «Огонек» и очень смеялась на шутки Аркадия Райкина, стояла в дверях и беззвучно шептала:

— Не смей спорить с папой!

Тогда я, рыдая, ушла в свою комнату, легла на кровать и заснула. Проснувшись, увидела солнце, сосульки, детей в пестрых шубках, ворон, горьких пьяниц, бредущих к ларьку с независимым видом... Увидела всю эту дорогую моему сердцу московскую зимнюю жизнь, частью которой была сама, обрадовалась ее ослепительной белизне, своим — еще долгим — веселым каникулам, своей все тогда освещающей юности...

А в самом конце той же самой зимы в Большом зале консерватории состоялся концерт Давида Ойстраха и Святослава Рихтера. Два гения вместе и одновременно. Не знаю, каким же я все-таки чудом достала билеты. А может быть, меня пригласил тот молодой человек, лица которого я почти не помню, но помню, что он был в костюме и галстуке. Концерта я тоже не помню, поскольку мне было и не до концертов, а только до личной и собственной жизни, которая настолько переполняла и радовала меня, что, даже случись тогда Ойстраху с Рихтером вдруг слабым дуэтом запеть под гармошку, я не удивилась бы этому тоже. Но в антракте, когда цепко осмотревшая друг друга московская публика выплыла в фойе, усыпала бархатные красные диванчики и зашмыгала заложенными зимними носами, я вдруг увидела, как по лестнице стрелой промчался тот самый Валентин Никитин, который не ушел, стало быть, под брюхом оленя, не сжег себя рядом с Кремлевской стеною, но — весь молодой и горячий, в своих потемневших и стоптанных тапочках, в своем пиджачке, в своем узеньком шарфе, — промчался, влетел прямо в двери партера, а дальше была суета, чьи-то визги...

Во втором отделении нарядные ряды партера начали испытывать сдержанное волнение, оглядываться друг на друга, поправлять прически, покашливать, как будто бы где-то над их головами летают особенно жадные пчелы. Мой молодой человек с его незапомнившимся лицом, но в чистом костюме и галстуке, сидел очень прямо, ловил звуки скрипки и, кажется, тоже чего-то боялся.

Обьяснилось довольно просто: на этом концерте был сам Солженицын с женою и тещей. И многие знали об этом событии. В антракте же вышел нелепейший казус: студент из Тбилиси, без верхней одежды, ворвался, как вихрь, и, всех опрокинув, упал на колени, зажал Солженицыну снизу все ноги и стал целовать ему правую руку. Великий писатель стоял неподвижно, руки не отдернул и сам был в волненьи. Пока не сбежались туда контролерши, пока не позвали двух-трех участковых и не сообщили куда-то повыше, никто и не знал, что положено делать. Конечно же, в зале был кто-то из «ихних»: какой-нибудь, скажем, француз или турок, какой-нибудь из Би-би-си и «Свободы», и все сразу выплыло из-под контроля, наполнило шумом все станции мира, наполнило все провода диким свистом, и тут уж, хоть бей о Кремлевскую стену крутым своим лбом, — ничего не исправишь!

Потом рассказали мне, что Никитина вывели под руки двое милиционеров, и он хохотал, издевался над ними, а милиционеры, мальчишки безусые из Подмосковья, не позволили себе ни одного слова, пока волоком тащили его к машине, и он загребал двумя тапками снег (и было почти как под брюхом оленя!), но, уже открыв дверцу и заталкивая хулигана в кабинку, один из милиционеров, не выдержав, врезал ему прямо в ухо, и сильно шла кровь, и он так и уехал, вернее сказать: увезли по морозцу.

2010

ЗИМА РАЗЛУКИ НАШЕЙ

Всемь часов в Линнской синагоге начался вечер русского романса. За окном — набережная, синий кусок океана. Чайки на гладком песке, запах гниющих водорослей. Мальчик с густой гривой выводит ломающимся басом: «Спи, мой зайчик, спи, мой чиж, мать уехала в Париж...»

Подожди, голубчик. Когда уехала?

* * *

Вчера они сидели в его пропахшем табаком кожаном кабинете, за окном которого бушевал, ломая сиреневые ветки, июньский дождь.

...Они сидели в пропахшем табаком кожаном кабинете, и дрожащее полное лицо его было белее бумаги на столе.

— Я прошу одного, — громко сказал он, — чтобы была сохранена видимость наших семейных отношений...

— Отпусти меня, — прошептала она, — отпусти меня на месяц. Николка...

— Николка! — закричал он. — Николка! Николка будет здесь с Зиной и Олей! Как только бог смотрит на тебя оттуда?!

В Париже было тепло и солнечно. Покрывало на кровати пахло лавандовым мылом. Первый раз в жизни она проснулась рядом с человеком, который вот уже несколько месяцев был для нее всем на свете.

* * *

— Вот ты посмотри, Аня. Это она перед самым выпуском. Ух, коса-то какая! Красавица.

— Где она умерла?

— Как где? В Москве, у Коли на руках. Перед самой войной она уехала с этим. Не сбежала, нет. Коля сам сказал: «Уезжай. Уезжай, куда хочешь, и думай. Потом возвращайся, потому что у тебя ребенок, а ребенку нужна мать».

— С ума сошел! Кто же так поступает?

— Теперь — никто, а раньше поступали. Он был великий человек, Аня. Коля — был великий человек. Двое было великих: мой Костя и Лидин Коля. Ну про моего ты знаешь...

* * *

Она все еще была в Париже, хотя ее давно ждали в двух городах: Москве и Тамбове. В Тамбове тем временем выпал снег, и по сухому первому снегу к угловому дому на Большой Дворянской подкатил краснощекий извозчик.

— Лиза! Беги смотреть! Асеев приехал! Адвокат Асеев! Тот, с которым мы летом у Головкиных в карты играли! Он у нас практику открыл! Лиза!

Подошла к окошку, вскинула плечи. В косе — черный бант. Коса — тонкая, так себе. Вот у Лиды — волосы! Господи, Лида-то в Париже. Вчера мама с папой опять о ней говорили, мама все время плачет. Папа ездил в Москву, к Николаю Васильевичу и маленькому Николке. Привез фотографию — Николка на белом пони. Глазки грустные. Сумасшедшая Лида.

Так это и есть Асеев? Расплачивается с извозчиком. Без шапки, голова от снега — как припудренная. Подхватил свой сак — и прыг на крыльцо! Что это он так распрыгался?

Назавтра в гимназии была рассеянна. Толстая Надя Субботина протянула ей бархатный альбомчик. Выпускной класс, стишки на память. Субботина летом замуж выходит. За кузена. В Синоде разрешение выпрашивали. Дура Надька. Няня говорит: «Выйдет и будет рожать, как кошка».

Нет, мы с Мусей и Лялей, как только закончим, сразу — в Москву. На французские курсы. Там Шаляпин, Северянин. Во МХАТе — «Три сестры». Лида в письмах мне все рассказывает. Никому и в голову не придет, что я из Тамбова. В Асееве, кстати, ничего особенного. Муся говорит, что кутила ужасный. К цыганкам ездит. Папа признался, что тоже ездил, когда молодым был. Ужас. Муся клялась, что у Асеева цыганка в любовницах. Ну и ну. «Живой труп», графа Толстого сочинение.

Открыла альбомчик. Вдоль и поперек исписан. Вот, пожалуйста.

> Лишь сойдет к нам на землю вечерочек,
> Буду ждать, не дрогнет ли звонок.
> Приходи, ненаглядный дружочек,
> Приходи посидеть на часок.

Перевернула страницу, чтобы не мараться о глупости, и написала крупно:

Душа моя во всем гнезду сродни,
В ней бьются птицы и поют они.
А улетит последняя и — вот:
Она, как дом с открытыми дверьми,
В которые осенний небосвод
Шлет первый снег, и рвется лист с земли.

Ах как прекрасно. Прекрасные стихи. Алеша написал и преподнес летом. Гостил в июле на даче. Сашин друг. Вечером преподнес, когда мама заставила гаммы играть. Вошел в гостиную, волосы на пробор, блестят. Муся уверяет, он их чем-то мажет, чтобы блестели. Может быть, и нет. Просто такие волосы.

Откашлялся:

— Я не прошу вашей руки, Лизавета Антоновна, потому что вы слишком молоды. Но разрешите мне надеяться. Я буду ждать.

Взял ее за локоть и вдруг поцеловал в щеку. У нее в глазах потемнело. Маме, конечно, все рассказала. Мама сначала засмеялась, потом заплакала. Но плачет она всегда об одном: Лида.

Асеев вышел из своего дома как раз тогда, когда она к своему — подошла. Улица была пуста. Редкий сухой снежок. Он взглянул на нее рассеянно. Улыбнулся и поклонился, надевая перчатки. Кому улыбнулся-то? Мне или двери? Постояла, сбросив ранец на землю, посмотрела вслед. Глупо. Взрослая барышня, скоро курсистка. Он припустился по улице быстро, почти бегом. Извозчика не взял. Снег налетел на его спину.

* * *

Лида вернулась в Москву в июле, перед самой войной. По темно-зеленой с большими золотыми буквами вывеске: «Доктор Н. В. Филицын. Нервные болезни» — бежали мутные дождевые потоки. Николай Васильевич открыл дверь, провожая сгорбившегося пациента.

Посторонился, пропуская ее в глубину прихожей. Она отразилась в зеркале — бледная, как смерть, в затейливой парижской шляпке.

— Вернулась? — сказал он, и ей послышалась ненависть.

— Где Николка? — хрипло спросила она.

Он молчал и исподлобья, красными, бегающими глазами осматривал ее похудевшее лицо, серое дорожное платье на пуговицах, зонтик, блестевший от дождя.

— Николка где? — повторила она, замирая.

— Не беспокойся, — ответил он высоким звонким голосом. — Его забрала Оля. Завтра привезет. Должны же мы с тобой объясниться.

— Коля, — сказала она и опустилась на стул, — я не могу говорить...

— Вот и прекрасно, — он усмехнулся дрожащими губами, — вот и хорошо, потому что и я не могу говорить. Да и незачем. Я предлагаю тебе жить здесь, дома, потому что все остальное — гадость и чушь. Ты не первая женщина, у которой завелся, — он с отвращением сморщил все лицо, — завелся адюльтер, и не последняя. Но ты — мать нашего ребенка. А наш ребенок, представляется мне, важнее адюльтеров. Так что я свой выбор сделал. Места в доме достаточно. Николка ничего не заметит. А когда ты решишь покинуть нас, — он быстро, вопросительно посмотрел на нее, она вздрогнула всем телом, — если ты решишь покинуть нас, мы вместе подумаем, какие принять меры.

— Как странно, Коля. — Она опустила голову, мокрая темно-золотая прядь упала на лоб из-под шляпки. — Как ты легко говоришь об этом...

— Легко? — переспросил он. — Ну, дорогая моя! Сколько раз я представлял себе, как задушу тебя, едва ты переступишь порог!

Она вскочила, словно ее ударило током.

— Сиди! — вскрикнул он и обеими руками нажал на ее плечи. — Сиди, ничего я тебе не сделаю! Нашла Алеко! Он для меня — все, — и кивнул головой в сторону лестницы, ведущей на второй этаж. — Николка для меня — все! Не позволю я, чтобы глупая баба сломала ему жизнь, слышишь ты! Не позволю!

Он стоял над нею, дрожа всем телом, — огромный, седой, взъерошенный, — и вдруг она вспомнила, как он когда-то, так же дрожа всем телом, просил ее руки.

— Лучше я уеду, — прошептала она, — мы не сможем, мы не выдержим...

Он вдруг отошел к двери, прижался к ней спиной, засунул руки в карманы.

— Полно тебе, Лида, — произнес он почти спокойно, — иди к себе, отдохни. Ты неважно выглядишь. Завтра Оля привезет Николку.

* * *

...Низкое красное солнце ломким веером накрыло Большую Дворянскую. К дому напротив подкатила пролетка. Из нее козочкой выпрыгнула соседская девочка, которая вот уже три месяца за ним подсматривает. Следом, придерживая подол платья, сошла молодая женщина в синей шляпе и сине-сером полосатом платье. За женщиной — худенький мальчик в русых локонах. Все они на секунду остановились перед дверью, и девочка нетерпеливо дернула звонок. Женщина в полосатом платье схватилась за сердце. Дверь отворилась, мелькнули два лица — Александры Ильиничны и Антона Сергеевича, соседей, — и дверь торопливо захлопнулась. Он догадался, что приехала старшая дочь Лида, недавно, как говорили, вернувшаяся из Парижа. Движение ее руки, схватившейся за сердце, поразило его.

«Кто знает, — вяло подумал он, — может быть, что-то еще осталось в этой жизни... Боль, привязанность... Наверное, осталось».

Он открыл буфет и налил себе стакан вина. Сопьюсь в этой дыре от скуки. Нет, не сопьюсь. Что делать вечером? Поехать к Тане? Его обожгло и тут же передернуло. Таня... Страсть, да. Тяжелая страсть к женскому телу, в которое погружаешься, все забыв. Потом наступает отрезвление. Она любит деньги, Танюша. Деньги и подарки. С ума сходит от побрякушек, которые он ей дарит. Довольно гадко. Но шея, спина, лопатки с шелковистыми родинками, вишневые соски, твердеющие под его ладонью... Ладно. Поживем — увидим. Сказать сестрам: женюсь-ка я, милые, на цыганке?

Он представил себе выражение лица старшей, Варвары, недавно похоронившей мужа и оставшейся с четырьмя детьми. Нельзя делать такие вещи. Детей надо поднимать, все на нем. У Вари нет денег. Он опять посмотрел на соседский дом. Там уже зажгли лампу, двигались тени. Плачут, наверное, ахают, расспрашивают. Как она схватилась за сердце, эта, в полосатом платье...

Горничная повесила платье в шкаф, расстелила постель. На столе стояли розы, только что срезанные. Конечно, к ее приезду. Как хорошо дома. Господи. И какой ад там, в Москве. Николай Васильевич ведет себя с ней вежливо и сухо, как с посторонней.

* * *

— Лида вам все рассказывала, тетя Лиза, делилась?

— Что могла, то рассказывала. У нас разница была все же довольно большая: девять лет. Я ей казалась ребенком. По-настоящему мы с ней в первый раз поговорили тогда, после Парижа, когда она приехала в Тамбов. Убежала из Москвы от Николая Васильевича на две недели. А ты знаешь? Мне вот что все время приходит в голову: поделом нам всем! Молодцы большевики! Ей-богу, уважаю!

— Что это вы вдруг, тетя Лиза?

— А то, — и она засмеялась нервным старым ртом. — А то. Какая была жизнь! Страсти, любовь! Слезы, букеты. А они пришли и говорят: «Идите вы с вашими страстями к такой-то матери! И букеты с собой прихватите!» Мы и пошли. Буржуи недобитые.

* * *

— Лида!

Не отвечает. Сейчас разрыдается. Любят они рыдать: что Лида, что мама.

— Лидуша! Ну что ты, как неживая? Поговори со мной!

— О чем с тобой поговорить, дурочка?

— Ну, обо всем. — Быстро намотала на руку легкую прядь, смутилась. — Как ты жила там, в Париже, с этим?

— С этим? — повторила Лида. — Что ты говоришь, Лизка! Он мне дороже всего.

— Почему?

— Как почему? Люблю его, вот почему!

— А Николая Васильевича?

Лида отрицательно покачала головой.

— Как? — ахнула, прижала ладонь ко рту. — Как же ты венчалась?

— «Да как же ты венчалась, няня?» — слабо улыбнулась Лида. — Так и венчалась. Так, видно, бог велел.

— Мой Коля, — засмеявшись сквозь готовые слезы, подхватила Лиза, — «он старше был меня, мой свет, а было мне...». Сколько тебе было?

— Восемнадцать, — сказала Лида, — и я ничего, ничего не понимала. Как ты сейчас.

— Я? — С возмущением: — Ну уж нет! Я давным-давно все знаю. Только скажи мне: почему так бывает, что этого человека любишь, а того нет? Ведь все одинаковое — руки, ноги, глаза. А...

— Никто этого не знает, — перебила ее Лида, — никто тебе на этот вопрос ничего не скажет! Я, когда только встретила его, ну, его, понимаешь? — И покраснела до слез, посмотрела умоляющими глазами. — Как только встретила, сразу поняла, что у меня никакой своей воли не осталось. Что он захочет, то я и сделаю.

— Господи помилуй! Да ведь ты же замужем, и потом Николка...

— И Николка, и замужем, и мама... А как он до меня дотронулся в самый первый раз, так я почувствовала...

— Что ты почувствовала? Как он до тебя дотронулся?

Лида закрыла руками пылающее лицо.

— Хватит, Лизетка, я и так тебе много наговорила. Давай спать. Ни одну ночь я не спала толком. Знаешь, с какого времени? С двадцать восьмого января!

Она хотела спросить, что это за день такой, но прикусила язык. Красавица она все-таки, Лидочка наша, красавица. В Тамбове таких днем с огнем не сыщешь, да и в Москве, наверное, не очень...

Поцеловались. Шмыгнула к себе, потушила свет, натянула одеяло на голову. «А как он до меня дотронулся...» Как же он дотронулся все-таки?

* * *

Первая осень войны была дождливой, холодной. В обиходе появились забытые слова: медикаменты, транспорт, мобилизация, дезертир, наступление. Госпитали уже были переполнены. Вдоль железных дорог, увозивших на смерть крепких кривоногих мужиков, запахло содранными с бабьих голов пропотевшими платками, слезами. Поговаривали, что французские курсы не сегодня завтра закроют, хотя внешне Москва все еще жила своей прежней, бестолково-пестрой жизнью. Саша, брат (на год старше Лиды и на десять лет — Лизы!), был по состоянию здоровья освобожден от армии и ехал в Тамбов к родителям. По дороге из Петербурга он завернул в Москву повидаться с сестрами. С ним приехал Алеша, поступивший в Тверское артиллерийское училище.

Поезд пришел с опозданием, и она успела продрогнуть в тоненьких башмачках, надетых совсем не по погоде, из одного кокетства. Они спрыгнули с подножки и, махая фуражками, бросились к ней. Саша еще больше побледнел и похудел. У Алеши лицо сияло так, что хотелось зажмуриться. Сморщившись от паровозного дыма, она подхватила край клетчатой юбки тем же самым движением, которым это делала Лида, и поплыла к ним навстречу.

— Лизка! — Саша притиснул ее к себе и закашлялся. — Большая какая! Charmant!

Она отступила на шаг, растопырила юбку, покружилась:

— Выросла?

— Да что выросла! Расцвела! Ты погляди, Алексис!

Алеша улыбнулся смущенно:

— А я и так гляжу, не могу оторваться.

Она протянула ему худую замерзшую руку.

— Как я рада, Алеша, что вы тоже приехали. Я ж боялась, мы больше не встретимся.

* * *

— В каком году Лида умерла?

— Лида? Да я же тебе сказала: в марте восемнадцатого! У Коли на руках, в Москве.

— Тетя Лиза, подождите, я запуталась в датах: вы что, потом уехали из Москвы в Тамбов?

— Я уехала в шестнадцатом. Дома все болели, мама просила меня приехать. Я поехала ненадолго, а задержалась на целый год. Я была в Тамбове, когда нас выгнали из дому и... Ну, когда все это произошло. Сашу забрали, папу разбил паралич. А потом до мамы докатилось, что Лида больна, и она послала меня в Москву, чтобы я была там с Лидой, не отходила от нее ни на шаг. Я вернулась в Москву. В конце января.

— Так вы же не рассказываете! Скачете, как белка, с одного на другое!

— Господь с тобой, Аня, ты слушать не умеешь!

* * *

Николай Васильевич Филицын три вечера в неделю дежурил в госпитале по случаю наплыва раненых. Под утро он пешком возвращался домой на Арбат. Лида, вероятно, спала. Он тихо шел в детскую, наклонялся над ровно и глубоко дышащим Николкой, крестил его и поправлял сбившееся одеяло. Потом выпрямлялся и долго стоял над кроваткой, глядя на спящего усталыми красными глазами. Постепенно лицо его принимало другое выражение: привычной и нежной тревоги, которое чаще встречается у старых нянек и бабушек, чем у отцов. С этим выражением на лице Николай Васильевич шел к себе в кабинет и укладывался спать на большом кожаном диване, где ему с вечера готовили постель.

Пару недель назад он заметил, что по утрам у Лиды отекают ноги, а вечером на лице появляется нехороший лихорадочный румянец.

— Мне что? — бормотал Николай Васильевич, ворочаясь и жестикулируя в темноте. — Я ей — кто? Муж? Нет уж, дудки! Какой я муж?

Он рывком садился на диване и обеими руками обхватывал седую голову.

— Развратная женщина, низкая, — говорил он шепотом, — терплю, потому что сын.

И тут же чувствовал, что нечем дышать.

— Лжешь! — Он скрипел зубами. — Лжешь, подлец! Не потому терпишь, что сына жалко! Себя, себя жалко! Ведь вернулась. Где этот, ее? В городе его нет, справлялся! В Самару, говорят, укатил! Пишет он ей? Ведь я его убить должен! Вызвать и убить. А я терплю. Почему терплю? Современный я очень, новейших прогрессивных взглядов! Покаталась и вернулась. А как жить мне с ней после этого? Разводиться надо! А куда она пойдет, разведенная? А для Николки какой позор! Мать — разведенка!

Ужас в том, что она во всем призналась. Правдивость ее была немыслимой и ненужной. Николай Васильевич в глубине души знал, что, если бы не эта ее правдивость, он предпочел бы ничего не заметить. Закрылся бы обеими руками от страшного. Ольга, сестра, говорит: «Ты ее никогда не разлюбишь, не стоит и стараться». — «Верно. Стараться не стоит. Не разлюблю. Но как жить-то с ней в одном доме? Ведь я с ума схожу, а она меня терпит. Я ей противен». Он с отвращением посмотрел на свою голую ногу, высунутую из-под одеяла. «Зачем она вышла за меня, красавица? Кошачья порода». Чуть не разрыдался, представив ее в постели с тем, с другим. «И ведь совсем недавно! Двух месяцев не прошло! Ей-богу, спасибо войне — работы невпроворот, надорвусь и сдохну! А с ними что будет? С мальчиком? При такой матери? Опять она кашляет». Он слышал, как в спальне глухо кашляет Лида. «Она и раньше покашливала, легко простужалась. У них в семье у всех плохие легкие, у Александра чахотка, вряд ли долго протянет. Жаль парня. Дурной, но добрый, мухи не обидит. Спросить, не нужно ли ей чего? О жизнь проклятая!»

* * *

Вернувшись в четверг вечером с дежурства, Николай Васильевич увидел, что в столовой горит свет, а за столом сидят Лида, ее младшая сестра Лиза, брат Александр и еще какой-то неизвестный, ярко-смуглый молодой человек. Быстро и тревожно осмотрев Лиду по незаметной для него самого привычке, Николай Васильевич расцеловался с Лизой и Александром, познакомился с неизвестным. Оказалось, Сашин приятель, проездом в Тверь. У Лиды лихорадочно горели щеки. Светло-каштановая, с золотом, коса, едва заплетенная и перевязанная в конце красной смятой ленточкой, лежала на левом плече.

— О чем спорите? — спросил Николай Васильевич
и придвинул к себе чашку.

— Мы говорим о войне, — торопливо ответил Александр и облизнул сухие губы, — я лично придерживаюсь толстовских взглядов. Война есть убийство, противное человеческой природе. Я, если хотите, готов
оправдать дуэль, потому что иногда нельзя решить
вопрос иначе...

Николай Васильевич хлебнул слишком горячего
чаю и закашлялся.

— Нельзя, и все! — не замечая, продолжал шурин. —
Но не война, нет! Ибо война снимает момент личной
ответственности...

— Я не согласен, — перебил его Алеша, — как же
снимает? Ведь если я иду в атаку, скажем, и веду за
собой других, кто же снимает с меня ответственность?
Напротив...

— Я и с вами поспорю, Алеша, и с тобой, Саша, —
вдруг, неожиданно для Николая Васильевича, сказала
Лида и резким движением отбросила на спину лохматую косу, — потому что, разумеется, с какой стати
идти и убивать незнакомых тебе людей, которые тебе
лично ничего не сделали дурного, верно? Но, с другой
стороны... Саша, ты послушай! Если сложилось так,
что — пусть против воли, — но ты уже там, в пекле, и
должен вести себя как благородный человек, то ты ведь
не станешь говорить себе, что все это против твой воли
и поэтому можно стать кем угодно? Ты перед самим
собой не позволишь себе такой низости!

— Романтизм чистейшей воды, — раздраженно оборвал ее Николай Васильевич, — романтизм и незнание жизни. Бывают, моя дорогая, такие обстоятельства, что человек поступает вовсе не так, как он хотел бы поступить, но нельзя с него строго взыскивать, потому что жизнь — штука страшная, не всегда все от человека зависит.

— Я, — глухо сказала Лида и сильно покраснела, — хотела бы сама проверить, что от меня зависит, а не по чужим словам... Сейчас такое время, что в стороне не удержишься, нужно что-то делать...

Николай Васильевич резко обернулся к ней всем телом.

— Что ты собираешься делать?

Она покраснела еще больше:

— Прости, я не успела тебе сказать. Я поступила на медицинские курсы. Закончу и буду работать в госпитале.

— Так... — промычал Николай Васильевич, — довольно опрометчивый поступок при твоем здоровье...

Чувствуя, что разговор принимает слишком семейный характер, Алеша встал.

— Извините, мы все вам перевернули своим вторжением. Спокойной ночи.

— Куда же вы пойдете? — смутившись и взглядом обходя Николая Васильевича, спросила Лида. — Останьтесь. Саша ляжет в столовой, вы, Алеша, в маленькой гостиной, а Лиза может или со мной, или в кабинете Николая Васильевича...

— Лучше в кабинете, — твердо сказал Николай Васильевич, — там отличный диван, ты прекрасно выспишься, Лизетта.

Снег пошел за окном, словно то, что происходило в этом доме, должно было быть спрятано от посторонних глаз, сокрыто как можно скорее, обращено в семейные догадки, в восторженную уверенность, что в жизни бывает только так, а не иначе, то есть по добру и милосердию, и нужно только быстрее перебинтовать рану, перебинтовать потуже, чтобы не просачивалось, не гноилось.

* * *

— Меня положили, в конце концов, в детскую, к Николке, который ужасно раскрывался по ночам, а в доме было холодно. И я всю ночь к нему вставала. Как я была влюблена тогда! Алеша спал в гостиной. Хотя, наверное, не спал... Да что говорить! В наше время так себя не вели, как теперь. В публичные дома ходили, к проституткам, с горничными жили, но к девушке своего круга — ни-ни! Другие люди были, потому и вымерли. Мамонты.

— Ну уж вы скажете, тетя Лиза!

— Я и скажу. Ты, Аня, старая уже, а как была святой простотой, так и осталась. Ты в нашей семье последняя такая. Божий одуванчик, дай тебе бог здоровья...

* * *

Она лежала с закрытыми глазами и не шевельнулась, когда Николай Васильевич со свечой в руке осторожно вошел в спальню и лег на самый край постели.

— Спишь, Лида? — прошептал он.

— Нет.

— Мне уйти?

Она открыла глаза.

— Не надо, Коля, мне страшно.

Николай Васильевич громко, по-детски сглотнул слюну.

— Я все думаю, думаю, — прошептал он, — я с ума схожу от мыслей. Лида! Но ведь если ты полюбила другого человека, разве я смею тебя осуждать? Разве жизнь твоя, чувства твои, сердце, — он сморщился, словно заставлял себя произносить слова, ему несвойственные, — разве все это мне принадлежит? Что ты молчишь?

Она хотела что-то сказать и вдруг задохнулась, раскашлялась. Николай Васильевич посмотрел на нее со страхом.

— Голубочка моя, — прошептал он, — как же я боюсь за тебя...

Большой горячей рукой он пощупал ее лоб. Лоб был мокрым от пота. Тогда он с силой притянул ее к себе, накрыл одеялом.

— Так, так, — лихорадочно бормотал Николай Васильевич, целуя ее затылок, — я знал, что ты — моя мука крестная, мой ангел, жена моя. Я знал, когда вел тебя к венцу, знал, что никакого покоя нам не будет, но ты мне скажи сейчас, ответь мне: гадок я тебе, Лида?

Оба они дрожали, сыпал снег за окном.

— Коля, — кашляя, бормотала она, — страшно, Коля! Господи, я ведь мучаю тебя! Тебе-то за что?

— А поделом, поделом, — Николай Васильевич еще крепче прижал ее к себе, — поделом, идиоту. Женился, не спросил, не проверил. Что ты могла полюбить во мне, какая тебе радость от меня?

— Коля! — вскрикнула она и вырвалась из его объятий, всплеснула руками. — Да разве я об этом?

* * *

Снег, снег, война, смерть. Кудрявый Николка в детской кроватке, в углу деревянная лошадка. Лиза не спит. Алеша ворочается. Александр в чахотке. Лида кашляет, Николай Васильевич кутает ее в одеяло.

Снег, смерть. Чайки на Линнском песке, запах гниющих водорослей.

* * *

Александр уехал в Тамбов к родителям. Алеша был в Твери. Лида помогала в госпитале, французские курсы грозились вот-вот закрыть, но все не закрывали. Многого, происходящего с сестрой, Лиза не понимала. Лида не объясняла ей, почему у них установился мир и лад с Николаем Васильевичем, почему она ходит, словно в воду опущенная, изнуряет себя работой, но на каждое ласковое его слово отвечает торопливой улыбкой и, судя по всему, страшно боится Николая Васильевича обидеть. Муся, с которой Лиза делила у хозяйки комнату на Пречистенке, спросила загадочно, где теперь ночует Николай Васильевич: в спальне или в своем кабинете? Она вспыхнула, ничего не ответила, хотя отлично знала, что вот уже месяц Николай Васильевич ночует в спальне. Мусин намек показался ей отвратительным.

Больше всего, однако, хотелось увидеть Алешу.

Он приехал в Москву перед самым отъездом на фронт. Снег в этот день неожиданно растаял, в воздухе пахло весной. Они медленно шли по Никитскому бульвару. Алеша хмурился.

«Нравлюсь я ему или нет? Спросить? Подумает, что я сумасшедшая, позор какой!»

И тут же спросила:

— Алеша, я вам нравлюсь?

Он убито посмотрел на нее:

— Я в вас давно влюблен, Лиза, я вас очень люблю.

Не сговариваясь, опустились на лавочку, мокрую и черную от растаявшего снега. Он взял ее ледяную руку без перчатки и крепко прижал ко рту.

— Пожалуйста, Алеша, поцелуйте меня, — дрожащими губами прошептала она, — я вас очень прошу.

И, не дожидаясь ответа, оторвала свою ладонь от его рта, изо всей силы обхватила обеими руками его лицо и крепко поцеловала в подбородок и щеку.

— Лиза, — глухо пробормотал он, — я завтра еду, бог знает, вернусь ли...

— Я вас ужасно буду ждать, ужасно, Алеша, Алешенька! Господи, что же вы молчали!

* * *

— Ничего, конечно, не было между нами. Вечером пошли на Пречистенку, сидели на диване без огня, ели яблоки, целовались. Он мне сделал предложение. Так что, пока его не убили полгода спустя, я была невестой...

— Вы его помните, тетя Лиза?

— Очень даже помню. Вот так вижу, как тебя сейчас. Молодой, черноглазый. Голова такая породистая, закинутая немного. Гордый, хороший мальчик. Главное — очень уж молодой, сейчас бы мне во внуки сгодился. Сколько их погибло... Но ведь так, может, и лучше? Кто знает, через что ему пришлось бы пройти, если бы выжил? Ей-богу, как подумаешь — что лучше?

* * *

Алеша был засыпан землею в воронке от взрыва во время Брусиловского прорыва, когда русская армия перешла в наступление. Николай Васильевич умер в двадцать шестом году от инфаркта, Николка был в лагере, вернулся инвалидом в начале пятидесятых, пил, попал под электричку.

* * *

— Сестрица, помилосердуй, отрави меня чем, сестрица! Куда мне с такой культяпой? Не побоюсь греха — руки на себя наложу, помилосердуй мне, сестрица!

Выскочила на крыльцо. Метель. Конца-краю нет. Как они хрипят, мычат, стонут! Что они терпят, господи!

— Пить, сестрица, пить, за-ради бога.

— Несу, несу, не плачь, терпи, миленький.

— Красивая ты, сестрица, у меня в деревне сестренка есть, вылитая ты, маленько ростом не вышла.

— Помогите там, Лидуша! Сидоров кончается...

— Иду, иду.

— Оспо-ди-и, ма-мынь-ка-а...

«Хочу умереть. Лечь здесь, на крыльце, голову в снег, закрыть глаза. Где он сейчас? Последнее письмо было два месяца назад». — «Прости меня за муку. Не верю, что ты смогла вернуться к нему по-настоящему и предать нашу жизнь. Жду встречи с тобой еще и на этом свете, целую твое драгоценное тело, которое мне снится...»

Все, конец. Главное — не помнить. Голову в снег, глаза закрыть. Не помню!

— Сестрица, ты где была? Рука-то, как ледыш. Не дело на морозе стоять, застынешь, сестрица...

— Лиза, открой!

— Сейчас, Коля!

Николай Васильевич набирал в шприц маслянистую жидкость. Огненно-красный Николка хрипел, разметавшись на родительской постели, глаза его были полны ужаса. Лида стояла перед постелью на коленях, целовала его горячие пальчики, гладила плечики, липкие от пота локоны... У Николки был круп, вторую ночь они втроем не спали. Вчера Николай Васильевич несколько часов подряд носил его на руках. Она молилась на эти большие, сильные руки, набирающие в шприц маслянистую жидкость. Господи, прости и не отнимай, прости и не отнимай...

Лиза выскочила в коридор, отперла не спрашивая. Три черные тени стояли на пороге: большая посередине и две маленькие по бокам. Закутанные в платки, занесенные снегом. Большая упала на землю и запричитала:

— Хозяюшка, милая, помоги! Погорели мы как есть, к родне пробираемся, мужик на войне, помоги, хозяюшка!

— Да войдите, в дом войдите, я сейчас!

— Куда нам входить, родненькая, за дорогу-то все завшивели, десять ден в дороге-то!

— Лиза, иди к Лиде! — Николай Васильевич, топая, сбежал с лестницы.

— Коля, ты погляди, тут...

— Иди к ребенку, Лиза, я все сделаю!

Он запихивал в костлявые руки, в пустой мешок вареное мясо, деньги, хлеб, меховую шапку, а она все не вставала с колен, все захлебывалась:

— Спаси тебя бог, кормилец! Детей моих пожалел! Век за тебя молиться буду, словечко за тебя господу скажу!

— Не за меня, не за меня, мать, — быстро прошептал Николай Васильевич и испуганно оглянулся, — не за меня, помолись, мать, а за рабу божию Лидию и за раба божия Николая, сына...

* * *

— Да он ее не то что балует, он на нее пылинке не дает упасть. Ребенок без матери, и такой отец сумасшедший! Что из нее выйдет? Я и сама на нее дышать боюсь, но ребенок есть ребенок, нельзя же так, а он с ума сходит! Горло першит — в школу не пускаем, спит до двенадцати. Маленькая была — он инфекций боялся, как ненормальный! Ну, корь, каникулы. Что делать? Все дети на елках, наша дома сидит. А вдруг подхватит? Конечно, при матери такого бы не было, но я ему не возражала, ни-ни! Пикнуть боялась, пусть уж он сам — как хочет, так и воспитывает — отец! А тут ангина, ей только-только девять исполнилось, и то ли осложнение маленькое, то ли просто не успела поправиться, но в моче — белок! Все. Он на стенку лезет: у ребенка больные почки! Нашли светило, профессор, жил на Арбате, его вся Москва знала. Пошли к нему на прием. Тот пощупал и говорит: «Точно не скажу, но похоже на онкологию. Нужно обследовать!» — Затянулась «Беломором», махнула маленькой смуглой рукой в обручальном кольце, вросшем в мякоть безымянного пальца. — И начался у нас ад! До сих пор, Аня, ты не поверишь, вспомнить страшно!

— Это я как раз, тетя Лиза, представляю, что у вас творится, когда она болеет.

— Скажешь тоже: «болеет»! Болезнь болезни рознь. Я так про себя решила, что газ открою — и на тот свет. Если подтвердится. Профессор этот, арбатский, кстати, сам окочурился через год. Я ему этого диагноза никогда не забуду, прости, господи, меня, грешную! Положили ее на обследование на пять дней. Все по блату. Мой этих врачей-сволочей буквально вылизывал, на машине из дому, на машине — домой, пятьдесят рублей в конверте. В больницу нас к ребенку не пускают: карантин. У них всю жизнь карантин. Маленькая девочка, в палате восемь человек, есть тяжелые, мы стоим на улице, снег, холод, смотрим на шестой этаж. А она на нас. Лбом в стекло, вся в слезах. Да ужас, говорю тебе, Анька, тихий ужас! Приходим вечером домой. Я — с обедом. «Ешь, — говорю, — ешь немедленно!» В рот ничего не брал. Бутылку один выпивал за вечер. Это он-то, непьющий! Телефона боялись. Я его успокаивала: «Ничего с ней нет, успокойся!» Сама чуть жива. И вот вечером, поздно уже, слышим: скребется кто-то. Я открыла. Стоит мужик какой-то заросший, в ватнике, в валенках мокрых, без калош, и с ним девочка — маленькая, вроде нашей, лет девять-десять. Погорельцы.

— Помогите, погорели, к родне идем, — затрясся весь. И девочка плачет.

Мой выскочил из комнаты, кудри дыбом:

— Проходи, проходите!

Они прошли в комнату, жмутся, наследить боятся. Девочка обмотана тряпьем каким-то, тощенький ребенок, замученный.

— Жены, — говорит, — у меня нету, хозяин, дочка вот, сирота. — И трясется.

Что тут с моим началось! Он — я тебе, Аня, не преувеличивая, говорю — все шкафы вывернул! Отрез габардиновый отдал, дорогой отрез, я ему пальто хотела шить к весне, — все отдал! Кофты, шаль, платок теплый, потом детские вещи, хорошие, для этой девочки, и свой свитер, и ботинки, — просто как с ума сошел! Накормили их. С собой еды навалил, денег дал. Господи... — Затянулась «Беломором», вытерла глаза. — Стали они собираться, и мужик этот, в ватнике, — я такого в жизни не слышала! — буквально залаял. Зарыдал, плачем даже не назовешь.

— Поклонись, — говорит девчонке своей, — в ноги им поклонись. Как звать-то вас? Молиться за вас буду.

Я ему говорю: «За внучку мою помолись, она у нас болеет». Они ушли, стала я в шкаф обратно барахло собирать, и меня — как током! Все, как тогда, у Лидки моей. У Николая Васильевича. Только что люди другие.

— Так Алешу убили?

— Алешу убили, красавца милого. Курсы закрыли, вернулась в Тамбов. Подожди, я с тобой все даты перепутала! В каком году я в Тамбове-то была? Конец шестнадцатого и весь семнадцатый: и февральскую, и эту. В Москву вернулась в восемнадцатом, в разгар большевиков. Вот тут началось!

— Тетя Лиза, расскажите мне — помните вы когда-то вскользь упомянули? — как вы Сашу из НКВД вытаскивали.

— Из какого НКВД? Из ЧК.

Гасит окурок в крышке от консервной банки. Бабушка — и курит! Мне уже четырнадцать, но я все еще этого стесняюсь. У моих одноклассниц тоже есть бабушки, но они не курят, не читают французские книжки, не заливаются смехом по телефону, не изображают соседей в лицах. Я делаю уроки в смежной комнате под шелковым оранжевым абажуром, а она сидит с Аней (дальняя родственница, похожа на сову!) и рассказывает. Голос понижает, чтобы я не подслушивала.

Неужели и тогда, под оранжевым абажуром, когда она, живая, смуглая, с маленькими руками, с волосами, сильно тронутыми сединой, была рядом, в соседней комнате, и сейчас — через двадцать шесть лет — в Линнской синагоге, где за окном — синий океан, но ее нет, нигде нет, — неужели и тогда была я и сейчас — я?

Вчера мне приснилось, будто она умерла. Опять умерла. Наш дом на Плющихе, давно снесенный с лица земли, снова занял полагающееся ему на земле место. Я вхожу в комнату, где в углу стоит пустой диван с каким-то тряпьем. Она должна быть на этом диване. Ее нет. Говорят, уже унесли. Как же так, унесли? А я где была? Появляется соседка тетя Катя (тоже давно умерла!). Молодая, косы венком, на меня не смотрит.

— Тетя Катя! Как она умирала? Бабулечка моя? Мучилась? Что же вы меня не позвали?

* * *

Из двери знакомого арбатского особняка вышел косолапый, бритый, в обтрепанной шинели.

— Куда, гражданочка? — прорычал он, загораживая ей дорогу растопыренными руками.

— Здесь моя сестра живет, Лидия Антоновна, Николай Васильевич — ее муж...

— Ну, допустим, живут, — он сплюнул табачную слюну в осевший сугроб, — живут, покуда мы их терпим. А ты-то куда?

— Пустите!

— Но-но! — вдруг уже с непритворной злостью сказал он. — Покрикивать нынче не принято! Накричались на нашего брата!

— Пустите, — прошептала она и сверкнула глазами, — я же к сестре!

— Ах к сестре, — повеселел он, — к сестре пущу, повезло тебе, девка, я сегодня добрый! Под одной, стало быть, крышей будем ночку коротать?

— Пропустите ее, Савелий! Прочь, я вам говорю!

Николай Васильевич — похудевший, с измученными, просиявшими при виде ее глазами, выбежал из дверей, протягивая к ней руки.

— Лизетка, душа моя!

На Николае Васильевиче, поверх бесформенной мятой рубахи, был накинут почти до прозрачности протертый шотландский плед, лицо небритое, седой, волосы поредели.

— Идем в дом скорее, а вы, Савелий, — прочь, прочь, и чтоб духу вашего!

— Ну, лекарь! — скрипнул зубами Савелий, и правая половина его лица задергалась, как у припадочного. — Мы с тобой потом поговорим!

— Поговорим, поговорим, — отмахнулся Николай Васильевич, обнимая Лизу одной рукой, а другой подхватив ее жиденький чемоданчик.

В темной прихожей крепко прижал ее к себе.

— Как же ты добралась, голубка?

— Ой, Коля, не спрашивай, Лида — что?

У Николая Васильевича задрожал подбородок.

— Воспаление, крупозное двустороннее, мы сняли, теперь в правом легком только неважно, а левое — чисто. Но сердце слабеет, Лизка, сердце! Отекает вся. Ноги, руки.

— Колечка?!

— Ни-ни-ни! Даже и в мыслях не допускаю! Подниму ее через месяц, вот увидишь! Ты только к ней не пойдешь прямо с дороги, голубка, нельзя. Я тебе, Лизетка, сперва баню устрою. Знатнющую баню! Боюсь за нее, тиф.

— Николка дома?

— Николка у теток. Зина научилась хлеб печь, Ольга шьет. Много сейчас не нашьешь, но все-таки... Мебелью топим, вещи меняем на муку. Увидишь.

— А Савелий этот — кто?

— Сволочь, дерьмо, — спокойно сказал Николай Васильевич, — большевик. Солдат пролетарской революции. Выселить не могу, уплотнили. Словечко, а? Герой войны, контужен был, комиссовали. Кокаинист. Ордер мне, подлец, предъявил. Жду, пока сопьется и в сугробе замерзнет. Задушить не могу. А жаль, ей-богу...

Лида лежала на широком кожаном диване, перенесенном в спальню из кабинета Николая Васильевича. До подбородка накрыта вишневым шелковым одеялом, волосы заплетены в косу, на щеках яркий румянец.

— Лидочка!

Она обнимала сестру, с ужасом чувствуя хрупкость ее худого, воспаленного тела.

— Мама, как папа, няня, Саша? — хрипло спрашивала Лида.

— Живы, все живы, не волнуйся. Все расскажу. Про подвал ты знаешь, да? Плесени пока нет, щели мы с няней заткнули. Папа лежит, мама на ногах. Няня тоже.

— Господи! — Лида закрыла лицо пушистой косой, из-под косы хлынули слезы. — Сашу когда забрали?

— Да ведь выпустили, Лидочка, выпустили! Вот как это было, слушай, и ты, Коля, слушай, я ведь вам этого не писала. Стучат к нам в подвал ночью, папа только-только засыпать начал. Входят двое в кожаных куртках, с «наганами», и с ними еще какой-то в обыкновенном пиджаке. «Встать, — кричат, — всем!» Я им говорю, что папа встать не может, он после удара. Ладно. Они за пять минут нам все перевернули. Потом говорят Саше: «Одевайтесь, пойдете с нами». Я смотрю на маму, она к стене прислонилась, белая-белая. Ой, господи! Саша говорит: «Я ничего не сделал, за что?» Один из этих, кожаных, на него замахнулся, но не ударил и — как гаркнет: «Вопросов не задавать!» Увели. Я думаю, пронюхали, что Саша был в кадетах. Ну у нас — тихий ужас, маме плохо с сердцем, у папы левая рука не работает совсем, лежит плачет. Няня мне говорит: «Искать людей надо, Сашеньку вызволять, а то, сама знаешь, чего бывает! Ходы к ним нужно искать». Я стала думать. Всю ночь думала, просто голову сломала! И придумала вот что: к нам незадолго до Сашиного ареста приходил один, тоже с «наганом». Глазки такие хитренькие, сам на мышку похож. Мы с папой только дома были, няня с мамой ходили вещи на продукты выменивать, а Сашу — не помню, где носило. Ну, приходит этот, мышонок, снял фуражку, сел к столу и говорит мне: «Я, барышня милая, работник ЧК, слышали про такое учреждение?» А глазки так и бегают! «Да вы не пужайтесь, — говорит, — у меня у самого дочки растут, чуток помельче твоего будут». Молчу. Вдруг он за «наган» схватился и кричит: «Чего расселась, корова! Тащи мне сюда свои цацки!» Я не поняла. «Фу ты, — говорит, — бестолочь астраханская! Кольца свои тащи, сережки!» Я полезла к маме в сундучок — помнишь, такой маленький, кованый, мы еще с ним играли? — и достала тряпочку (у мамы все в тряпочке было!), отдала ему. Высыпал все на стол, накрыл фуражкой и говорит мне: «Хотите, барышня, в своей постельке умереть али в другом каком месте?» У меня сердце остановилось. Правда, Лидочка, остановилось! А он подмигивает. «Вижу, — говорит, — что в постельке, куколка ты сахарная. Тогда давай делиться». И, Лидочка, ты не поверишь! Все, что в тряпочке было, все поделил!

— Ну да? — удивился Николай Васильевич. — Какое благородство! Фридрих Шиллер, драма «Разбойники»!

— А вот и не Шиллер, — воскликнула она, — Коля, ты не поверишь! Он на столе все это разложил и говорит: «Я ведь, граждане, не вор, а борец за пролетарскую справедливость. Ты поносила, теперь пущай мои девки поносят. Все по справедливости, как у господа бога».

— Да ведь они же неверующие! — Лида закашлялась.

— Ну что вы меня мучаете, — взмолилась Лиза, — я тебе слово в слово рассказываю. И делит: «Кольцо — тебе, кольцо — мене, цепка — тебе, цепка — мене, серьга — тебе, серьга — мене». Все! Встал. «Желаю, — говорит, приятных сновидений, граждане». И ушел. Как Сашу увели, я решила к мышонку этому сунуться. Все равно хуже не будет.

— Ну Лиза... — Николай Васильевич смотрел на нее с ужасом. — Ну-у-у Лизетта...

— У мамы осталось кольцо. Помнишь, Лидочка, она его никогда не снимала? Большой бриллиант, помнишь?

Лида кивнула.

— Я говорю: «Мама, вы снимите это кольцо, пожалуйста, и дайте мне». Она, конечно, в слезы: «Зачем?»

Я говорю: «Потом объясню». Она сняла и отдала, ни одного вопроса мне не задала больше. Я подкараулила этого, на мыша похожего, подхожу к нему и показываю. И говорю: «Помогите брату, он ни в чем не виноват, это ошибка!» Он по сторонам огляделся — и хап! Кольцо — в карман. А через два дня Сашу выпустили.

— Слава богу, — глубоко вздохнула Лида и перекрестилась.

— Безумие, — прошептал Николай Васильевич, — бедная ты моя...

Казалось, что весь снег, который приходился на эту зиму, выпал ночью. От белизны резало глаза. Ноги закоченели, пока она дошла с Арбата до Староконюшенного. Длинный человек с лиловой щетиной на подбородке смотрел на нее сквозь махорочный дым.

— Работа по ликвидации неграмотности. Паек обычный. Согласны?

Она ответила твердо, стараясь придвинуться как можно ближе к печке:

— Да.

— Ученицами будут гражданки, которые вам в бабки годятся. Без насмешек, поняли?

Выкатил бешеные глаза.

— Поняла.

— Ну все тогда, — успокоился он, зевнув и оголив два длинных передних зуба, — приступайте.

Очень хорошо, паек. Все-таки помощь Николаю Васильевичу. Маме она обещала, что будет в Москве, пока Лида не встанет. Паек неплохой — немного серой муки, бутылка растительного масла, картошка, сахар, спички. Коля принес вчера мороженой рыбы, пшена. Устроим пир вечером, Лидку покормим. Как она кашляет по ночам, слушать страшно...

Обернулась, почувствовала, что кто-то на нее смотрит. И от неожиданности сделала шаг в сторону, по колено в снег. Асеев. Сосед по Тамбову. В полушубке, как простой, в лохматой шапке.

— Здравствуйте, — сказал он и приподнял шапку. — Узнали меня?

— Узнала, — ответила она и нагнулась, вытряхивая снег из ботика. — Вы теперь в Москве?

— Я, да, — сказал он рассеянно, но смотрел на нее внимательно, не отрывая глаз, — и вы тоже?

— Я здесь у сестры, она болеет. Вы ведь видели мою сестру?

— Видел вас обеих из окошка. Летом, перед самой войной. На вашей сестре была синяя шляпа.

— Давно как, правда? — грустно отозвалась она. — Даже странно, что вы шляпу помните...

Он улыбнулся. Она вдруг почувствовала, что не хочет, чтобы он простился и ушел, растворился в снегу.

— Послушайте, — сказала она решительно и темно покраснела под вязаным белым платком, — пойдемте к нам, я вас познакомлю с сестрой, хотите?

* * *

...На дворе лето, скоро на дачу. Маленькие окна нашего деревянного дома на Плющихе раскрыты настежь, в них, словно снег, летит тополиный пух. Мне шесть лет. Я слышу, как пронзительно звенит большой черный телефон, стоящий на пианино. Бабушка смотрит на него остановившимися глазами, но не снимает трубку.

— Подойди же! — кричу я, но она не подходит.

Тогда я становлюсь на цыпочки и сама протягиваю руку к телефону. Бабушка слегка отталкивает меня и хрипло, испуганно спрашивает: «Да?» Что-то ей говорят там, отчего она берется рукой за свою левую грудь, подымает ее, рывком, словно хочет оторвать вместе с куском платья, и вдруг кричит так, как никогда не кричала при мне: «Костя-а-а! А-а-а-а! Костя-а-а!»

Из соседней комнаты появляется отец, хватает меня на руки и прыжками сбегает с лестницы. Мы торопливо идем по улице. Ясно, что ему надо увести меня как можно дальше от нашего дома, от бабушкиного крика. Когда он спрашивает, не съесть ли нам мороженого, я останавливаюсь и говорю:

— Почему баба кричала?

Он поднимает меня на руки, несколько раз целует и бормочет:

— Дедушка наш умер. Звонили из больницы...

* * *

Он заболел через год после смерти моей мамы. Но ее я помню еле-еле, а его — отчетливо. Исчезновение деда скрыть не удалось — я была уже большой. Ни болезни его, ни горя, от которого он свалился, я не заметила. Меня берегли.

Две недели назад среди стопки старых, чудом вывезенных из Москвы документов я наткнулась на свидетельство о его смерти.

...Каждый вечер мы ходили встречать его к метро «Парк культуры». Я волочила за собой лопатку, бабушка мои санки. Толпа народа выталкивалась из черноты, сильно пахнущей резиной. Среди разноцветных торопливых голов я тут же находила его высокую каракулевую шапку, похожую формой на те кораблики, которые бабушка умеет за минуту сделать из куска газеты или бумаги. Дед подходил к нам, целовал бабушку в щеку, она крепко и привычно брала его под руку. Каким был его голос? Не помню. Помню, как в начале Неопалимовского переулка, где после слякоти Зубовского бульвара начинался наконец свежий снег, я садилась на санки и говорила: «Быстро-быстро! Бегом!» И он, отдав бабушке портфель, припускался бежать так, что дух захватывало. Я откидывала голову, туго прикрученную шарфом к цигейковому воротнику, и надо мною неслось черное, в сверкающих зимних звездах небо. Лопатка в правой моей руке скользила по сугробам, и, весь в разноцветных искрах от уличных фонарей, снег вспыхивал от ее прикосновений.

* * *

Он плакал по ночам, вжимая лицо в скользкий потертый диванчик, чтобы Лиза не слышала. В диванчике жили клопы, и поэтому его приходилось периодически опрыскивать какой-то темной гадостью. Клопы, видно, давно принюхались к ней и не реагировали, но ежедневно выходили на ночные прогулки по тусклым обоям.

Восьмого марта, месяц назад, умерла их единственная дочка. Оставила трехлетнюю девочку. Девочка спала в детской кроватке, рядом с ней — на большой кровати — спала внезапно поседевшая Лиза, все время что-то бормочущая во сне и всхлипывающая. По потолку мягко проплывали отблески редких автомобильных фар.

— Господи, — беззвучно просил он, — возьми меня к себе...

Но тут же малодушная жалость к Лизе заливала его сердце.

* * *

— Веду его на Арбат, а сама думаю: ну, Коля мне задаст! Только гостей нам не хватало! Но мы сразу разговорились, как родные. Как сейчас вижу: темень, снег, жуть — и Костя мой. Взял меня под руку... Пришли. Я говорю: «Посидите здесь, я посмотрю, как там Лидочка...»

Он сидел в маленькой нетопленой комнате, прислушивался к тому, что доносилось из спальни. Оживленный ясный голосок Лизы перебивался другим голосом — плавным, низким, с прозрачным, еле заметным пришепётыванием.

— Лида, молоко тебе нужно выпить, я сейчас вскипячу.

— Молока нет, я его Оле всучила для Николки.

— Ли-и-и-да! Ну как же? Николка у нас, слава богу, здоров, а тебе молоко необходимо!

Вдруг он почувствовал, что сейчас упадет на кушетку и крепко заснет. Не потому, что хотелось спать, а потому, что странная, сладкая истома, тягучая блаженная слабость охватила его, ноги стали ватными, мелкие щекотливые мурашки побежали по всему телу, руки потеплели, душа успокоилась. Снег опять повалил за окном. Он слышал его звук — шероховатый, нежный, который был точно таким же и тогда, когда няня со свечой входила в детскую и говорила ворчливо: «Что сыпет, что сыпет! Зги не видно!»

Лиза отворила дверь и позвала его. Он вошел. Женщина, которую он только однажды видел перед самой войной из окна своего тамбовского дома, сидела в глубоком кресле в пушистом сером платке, наброшенном на плечи поверх темного халата. Вишневое шелковое одеяло укрывало ее до пояса, и странно светились худые, почти прозрачные руки, ярко освещенные печным пламенем. Лицо, волосы оставались в тени. Лиза прошуршала где-то сбоку, выдвинула из темноты синюю бархатную скамеечку, села сама и показала ему рукой: «Садитесь».

— У вас остался кто-нибудь в Тамбове, Константин Андреевич? — спросила Лида.

— Да, — невольно понижая голос, чтобы не мешать нежному детскому звуку снега за окном, ответил он, — остались две сестры. Им прежде помогал мой друг, Степа Обновленский, пока был там, в городе, но он уехал за границу, удрал, не вынес.

— Вы думастс, — быстро спросила Лиза, подавшись всем телом вперед и заглядывая снизу в его лицо, — вы думаете, что он правильно поступил, ваш друг?

— Не знаю, — честно ответил он, — может быть, да, может быть, нет. Иногда мне кажется, что этот кошмар вот-вот закончится. Проснемся утром — и все. Ничего нет. Просто жизнь. Такая, сякая, лучше, хуже... А иногда я спохватываюсь и понимаю, что если уж началось, то... Мы попались, к несчастью, мы не вырвемся.

— Боже мой, — сказала Лида и закашляла, — я все думаю: ну ладно, мы. Мы грешили. — Она огненно покраснела и задохнулась. — Мы грешили, — продолжала она с трудом, сквозь кашель, — но сколько невинных есть на свете, верно? Дети, животные... Им за что?

— Я думаю об этом тоже, — отозвался он, мучаясь тем, как трудно ей говорить. — Я об этом много думаю. Хуже всего, если теряешь веру. Когда человек верит, что нам не дано постичь, отчего так, а не иначе, когда он полагается не на себя, а на... Но если не веришь? Тогда действительно очень страшно, не дай бог. А они, — он остановился на слове «они», — они только того и добиваются, чтобы отнять у нас веру. Чтобы не на что было опереться.

Лида сильно вздрогнула всем телом.

— Только бы знать, что дети за наши грехи не ответят, — прошептала она, — у вас ведь нет детей, Константин Андреевич?

— Нет, — он покачал головой, — я не женат.

* * *

— Да разве бы мы выжили? — Бабушка моя испуганно понижает голос. — Да прям! Да ни в жизни! Костя нас спас. И меня, и ее, — смотрит на мамину фотографию на стене так, словно бы это не фотография, а сама мама была здесь, в комнате. — Умный он у меня был, ох умный! Как она родилась, — неотрывный влюбленный взгляд на ласковое лицо в черной рамочке, — как она родилась, так он — хоп! И спрятался. И нас спрятал.

Все-о-о понял! Все-о-о! Мне ничего не говорил, не хотел пугать, а сам понял! Я ему зудела: «Давай хоть квартиру хорошую получим, другие же получают. Как они это делают?» А он надо мной смеялся: «Тебе здесь плохо? Ванны нет? В баню пойдем! Чем не удовольствие?» Высовываться не хотел, зависти боялся. Стукачей за версту чувствовал. Никого к себе не приблизил, ни в какие гости не ходил. Только родные, только семья. Троих племянников взял после Вариной смерти, воспитали, как своих, ты же знаешь. Я никогда не спорила. Как за каменной стеной прожила. Чуть какой вопрос про большевиков задам, он мне знаешь что отвечал? «Перечитай, Лиза, роман «Бесы» Достоевского. Там все написано». Я Достоевского терпеть не могла. Ну не мой писатель! А он зачитывался. «Бесами» особенно. Ох умен был! И ей объяснил, что к чему, — смотрит на мамину фотографию, — не хотел, чтобы дурой росла. Уберегал ее с самого первого дня...

— Боялся он их, тетя Лиза?

— Большевиков-то? Кто же их, сволочей, не боялся?

* * *

Пьяный Савелий в расстегнутой гимнастерке шумно дышал ей в лицо перегаром. Руки его пахли мочой.

— Ну, Лизавет Антонна! Тирли, тирли, солдатирли, али, брави, компаньон! Ротик пожалте!

Мокрые губы впились в ее шею. Она яростно отбивалась, изо всех сил молотила кулаками по мясистому, в колючей шерсти, мокрогубому лицу.

— А я не просто так, не задаром! — бормотал Савелий, шаря табачными ладонями по ее груди. — Я с подарочком! Слышь, девка, я с подарочком! За один разик, с подарочком!

— Пусти, — пискнула она, — Николай Васильевичу скажу, слышишь?

— Ну напужала! — зарычал Савелий и икнул от хохота. — Обоссусь со страху! Да мне стоит словечко шепнуть, и нет твоего Васильича! Знаешь, за кем ноне власть-то?

Она поняла, что теряет сознание. К горлу подступила рвота, ноги задрожали. Тогда она жалобно прошептала «Лида», и тут же в распахнутой двери спальни выросла сама Лида, в огромном халате Николая Васильевича, с серым платком на плечах, в рыже-каштановом золоте незаплетенных волос, огненно-румяная, как всегда по вечерам, когда у нее поднималась температура.

Лида набросилась на Савелия так, будто никогда не болела, не лежала два месяца в постели, не шаталась от слабости.

— Я тебя убью, негодяй, — задыхаясь, вскрикивала она, изо всех сил колошматя Савелия по голове и плечам (он еле успевал отбиваться), — убью, и все! Лиза, я его убью!

В четыре жалких, худеньких, побелевших от напряжения кулачка они осыпали его градом ударов, и пьяное мокрогубое существо в расстегнутой гимнастерке, дико пахнущее мочой и перегаром, отступало назад, заслонялось руками, чертыхалось...

— Будешь знать, будешь знать, скотина, как до нас дотрагиваться! — задыхаясь, бормотала Лида, наступая обеими ногами на свалившийся серый платок. — Я тебе глаза выцарапаю, вот, как бог свят, выцарапаю!

Савелий, отругиваясь, уполз в кабинет Николая Васильевича, нынешнюю свою комнату, и запер дверь.

Красные, потные, растрепанные, они сели на бархатную скамеечку в спальне и расхохотались. Они хохотали до слез, истерически, со стоном и всхлипами, затихали на секунду, но, встретясь глазами, тут же снова взрывались хохотом. В таком виде и застал их пришедший из госпиталя Николай Васильевич. Лиза подпрыгнула и повисла на его шее.

— Колечка! Что я тебе расскажу!

— Да вы одурели обе, — сурово сказал Николай Васильевич, топая ботинками, чтобы согреться, — что случилось?

— А то! А то! — звонко кричала Лиза. — Мы с Лидкой избили Савелия!

Николай Васильевич вытаращил глаза и — как был в шубе и шапке — опустился на разобранную Лидину постель.

— Избили! — захлебывалась Лиза. — В кровь! Всего! К чертовой матери! Засранца поганого! Говнюка! Мерзавца! Мать его... Рас-так-так!

Она зажала рот обеими руками и оглянулась на Лиду. Лида плакала от смеха.

— А-а, — задумчиво сказал Николай Васильевич, — грамоте тебя твои ученицы обучили. Прогресс в действии...

— Не буду, не буду, — замахала руками Лиза, — я редко ругаюсь! Но сейчас, Колечка, сейчас мне сам бог велел! Ты погоди, ты послушай: прихожу я домой, и тут этот говнюк ко мне, сволочь эта! Как схватит обеими руками! Они у него хуже клещей! И ну целовать! — Она передернулась от отвращения. — Я отбиваюсь как могу, царапаюсь, но разве мне одной с ним справиться! Тогда Лидка... Вылетела из спальни. Как эту богиню звали, возмездия? Вот точь-в-точь! Как давай его лупить! А я с другой стороны! Ругаемся на него последними словами! — Она округлила глаза и опять зажала себе рот. — И бьем его, бьем! Избиваем! Заперся от нас в твоем кабинете, носу не показывает!

* * *

— Умирать буду, Аня, а не забуду этого вечера, — говорит она и вновь прикуривает, щурится от дыма. — Лидка тогда словно воскресла, ни разу не кашлянула. Коля изюму принес, рассказал нам, откуда у него этот изюм. Как сейчас помню! Позвали его к какому-то. Ну к чекисту, к кому же еще? Теща у того в тифу. Коля ее осматривает, а она бредит, с мужем покойным разговаривает: «Ты, — говорит, — Ваня, сам лучше в большевики запишись, по своей воле, а то они тебя силком запишут! Они хитрые!» Но за визит, конечно, доктору заплатили. Изюму дали, хлеба серого и — мы глазам не поверили! — меду! Коля сварил желудевого кофе, я оладьев нажарила, пир горой! И главное — Лида ни разу не кашлянула!

...В середине ночи она проснулась. Николай Васильевич ровно дышал рядом. Она вскочила, босиком подошла к окну, отогнула занавеску. Снег перестал, все вокруг было ярко-белым. Она подняла глаза и увидела опухшее желтое лицо, изрытое оспинами, в простом бабьем платке. Лицо плыло по невысокому небу, мягко перебирая губами, словно пытаясь что-то сказать на прощанье. Лида прижала лоб к стеклу и изо всех сил всмотрелась. Луну быстро несло в сторону, шепот ее не был слышен, но видно было отчаянье разлуки, тоска наступающей темноты, закатившиеся глаза. Черная туча, тряся маленькой отваливающейся головой, подползла к ней сбоку, и луна покорно, торопливо поднырнула под нее. Все погасло на земле, исчез снег.

— Николка! — простонала Лида и тут же то, от чего она проснулась, пришло к ней.

Во сне она потеряла Николку. Только что он был у нее на руках, она несла его — сонного и горячего — через осенний лес, где пахло прелой листвой, и тяжесть маленького тела наполняла все ее существо радостным теплом. Вдруг она почувствовала резкую боль в правой ноге и от неожиданности села на траву. Положив спящего Николку рядом с собой, она приподняла подол и увидела, что правой ноги больше нет. Вместо нее болталось что-то липкое, черное, бесформенное, из чего медленно капала густая, тоже черная, кровь. Она опустила подол, пряча этот ужас от самой себя, и хотела опять взять Николку на руки, но его не было рядом. Тогда она догадалась, что спит, и сделала усилие проснуться. Ей показалось, что она действительно проснулась, лежит на своей кровати, в комнате трещит печка, и Николка — живой и здоровый — сидит на синей скамеечке, уставившись на нее внимательными глазами Николая Васильевича.

— Ну слава богу, — прошептала она и обернулась на стук хлопнувшей двери.

Когда же через секунду она вновь повернула голову, на синей скамеечке вместо Николки лежала змея, которая корчилась и раздувалась, как пузырь. У Лиды потемнело в глазах: она поняла, что змея раздувается потому, что проглотила ее сына.

Кошмар оборвался.

Густая тьма была вокруг. Даже ровное дыхание спящего Николая Васильевича не приносило облегчения. Она знала, что каждый человек и во сне и наяву живет сам по себе, и нет такой силы, которая спасала бы душу от одиночества. Но во тьме, в пустоте, в ослепшем аду, у нее, Лиды, была одна слабая надежда — сын. Любимое кудрявое существо, вышедшее из ее собственного нутра. Оно принадлежало ей, сосало когда-то ее молоко и засыпало на ее руках.

Но вот уже два месяца, как Николай Васильевич переселил Николку к теткам и не собирался забирать его, пока Лида не поправится.

«Сон в руку», — вспомнила она нянины слова и вздрогнула от страха. Ей важно было расшифровать то, что она увидела, потому что, не расшифровав, нельзя было жить дальше.

Она потеряла сына оттого, что не уследила за ним и позволила змее заползти сюда, на синюю скамеечку. Это говорил сон. Стало быть, сон объяснил ей, что она, она одна, виновата в том, что Николка не живет дома, а сама она третий месяц не встает с постели, мучая Лизу и Николая Васильевича.

В глубине души Лида знала, что заболела от тоски по человеку, который когда-то дотронулся до ее тела так, что вся прежняя жизнь распалась. Она любила этого человека, и чем дольше была их разлука, тем мучительнее она любила его.

Кровь прилила к голове, босые ноги перестали чувствовать ледяной холод пола.

— Иди ко мне, — услышала она его голос.

Знакомые сильные руки обхватили ее, и тут же она почувствовала внутри себя его родную, огненно-горячую плоть. Разламывающая боль внизу живота стала невыносимой, тело содрогнулось, вспыхнуло, и, теряя сознание от стыда, ужаса, блаженства, Лида вытерла дрожащей ладонью почти забытую, горячую влагу...

Через несколько минут она неслышно легла на кровать рядом с мирно спящим Николаем Васильевичем, обхватила голову руками и начала судорожно думать обо всем сразу. То, что она грешна, она знала, за несколько лет привыкла к этой мысли и, казалось, почти смирилась с нею. Но сейчас грех ее предстал перед нею в новом свете.

Змея во сне была грехом, змея отняла у нее ребенка. Грех повлек за собою то, что она заболела и должна умереть, оставив Николку сиротой в страшном, разваливающемся мире, покинутом даже луной. А может быть, все, что происходит сейчас в этом мире — вся эта кровь, стыд, Савелий, — может быть, все это и наступило лишь потому, что она, Лида, так грешна и бесстыдна?

* * *

— Умирала на наших глазах, таяла, ничего не ела. Сейчас бы, конечно, сказали «депрессия, депрессия» или еще дурь какую выдумали, а тогда все было просто: тоска и тоска. Приду домой с работы, сразу к ней:

«Лидочка, ты как?» Смотрит на меня — глазищи на половину лица, ресницы такие, что в уголках закручивались! — смотрит на меня и шепчет: «Тоска, Лизка...» Я и так и сяк, а жрать-то нечего, а дрова кончились! Она чистюля была — у-у-у! Не приведи бог один день не помыться! Ну давай воду греть, мыло бережем, Коля все доставал, а у нее — волосы до пят, разве промоешь! Она мне говорит: «Тащи ножницы!» Я: «Лидка, жалко!» — «Ничего не жалко». И отрезала под самый корень. Лежала, кудрявая, как мальчик, ручки — тоненькие! А красавица. До последнего вздоха — красавица.

* * *

Сын мой родился на седьмом месяце беременности. Делали кесарево, роняли страшные прогнозы. Мне было двадцать лет. На седьмой день после родов сообщили, что у ребенка есть шансы выжить, а потому завтра его переведут в клинику для недоношенных.

— Вы, мамочка, не очень обнадеживайтесь, — сказала мне блондинка в белом халате, — мы не можем ручаться, в какую сторону ваш сынок повернет. Ко всему надо быть готовой.

В застиранном больничном халате с тесемками, подложив под себя бурую тряпку, именуемую пеленкой (выдавали по две на день каждой роженице), я сидела на кровати с пересохшим, огненным от температуры лицом и неотрывно смотрела на дверь, откуда приносились все новости. Одна мысль преследовала меня и была сродни болезни: я боялась, что меня обманывают, чтобы не волновать, а ребенок либо уже умер, либо так плох, что его увозят куда-то, где будет легче скрыть от меня его смерть.

Вставать мне не разрешали, так как операция прошла тяжело, шов нагноился и грозил разойтись. Я находилась в палате на шесть человек, все были только что после родов, всем уже приносили кормить, и я с завистью рассматривала морщинистых младенцев, каждый из которых казался мне чудом. Моего не приносили. «Он сосать не может, — мимоходом объяснили мне, — слабый очень». Но однажды вечером старая, шамкающая беззубым ртом нянька назвала другую причину, от которой во мне остановилась кровь: «Да боятся они его тебе показывать, боятся — привыкнешь! Это ведь, знаешь, как? С грудничками-то? Покормит мать один раз — и все. Сердце-то прикипает. У нас, бывало, девчонка какая родит и воет: «Забрать не могу, отца нет, жить не на что». Ну а принесут покормить, она и давай передумывать! И ведь многие, как покормят, забирали, из этих, из отказух-то!»

В больницу ко мне, разумеется, никого из родных не пускали, но записочки, которые я от них получала, были самого веселого содержания.

«Врут, — думала я, давясь рыданьями и отворачиваясь к стенке, чтобы счастливые соседки не заметили, — все врут...»

Если бы увидеть их лица! Застать врасплох! Разве я не поняла бы тогда по глазам, по губам, что происходит на самом деле?

Палата была на пятом этаже. Зажав обеими руками заклеенный пластырем живот, я подошла к окну. Оно было закрыто, несмотря на теплый, благоухающий чахлой сиренью июнь. Внизу, на лавочке, сидела моя бабушка, уже, судя по всему, передавшая мне наверх ягоды и домашний творог и сейчас просто отдыхающая в скверике роддома. Рядом с ней возвышалась густо напудренная, с подчерненными бровями, с большим седым «коком» на лбу старинная ее подруга Ляля Головкина, княжеского рода, нелепая, милая, смешная старуха, неделями жившая у нас на даче каждое лето. Я смотрела на них сверху и чувствовала, как затвердевший внутри меня ужас размягчается. Бабушка что-то говорила Ляле — как всегда энергично и быстро, и на Лялино робкое, как я поняла из окна, возражение неистово замахала на нее левой кистью. Одного взгляда на бабушкино изрезанное морщинами, светло-черноглазое лицо хватило мне, чтобы успокоиться.

Она, ни разу не видевшая своего семидневного правнука, повисшего между жизнью и смертью, вырастившая меня, похоронившая единственную дочку, мою маму, была спокойна и весела в это утро.

Тогда я заплакала, но уже другими — бурными, облегчающими слезами — и, зажимая ладонями живот, вернулась на кровать.

Через полчаса в дверь просунулась коротенькая медсестра с двумя серыми свертками на правой и левой руках.

— Гляди быстрей, — застрекотала она, — завтра спозаранку переводим, посмотреть тебе принесла. Твой-то вот этот вроде, правый!

Откинула уголок одеяла, и я увидела коричневый лобик с завитком посредине и редкие, загнутые ресницы.

Жизнь моя, мой свет, мой маленький мальчик спал там, в шершавой темноте, тихо-тихо дышал в ней, не зная, что мы вот уже семь дней как отрезаны друг от друга, и теперь каждая минута, оставшаяся мне до смерти, зависит от его дыхания.

* * *

Из Тамбова пришло письмо. Читали, сдвинув головы.

«Дорогие мои девочки, родные, ненаглядные Лизочка и Лидочка! Папа наш скончался шестого февраля, мы его похоронили. Слава богу, что удалось упросить батюшку прийти к нам и почитать молитвы над покойным. Мы с няней тоже молились всю ночь, и я надеюсь, что душа моего дорогого мужа и вашего отца сейчас успокоилась в обители господа бога нашего, Иисуса Христа. Поплачьте и вы, мои девочки, мои доченьки, как плачем сейчас мы все — Саша, я и няня, но поймите и то, что при нынешней жизни, которая выпала вашему отцу, смерть для него была благом и освобождением от страданий. Не знаю, имею ли я право писать вам так, как говорит мне сердце? У нас тут пугают, что письма прочитывают, но ведь другой возможности поговорить с вами, доченьки, у меня нет, так что я уж напишу так, как сердце подсказывает. Ужас даже рассказать, что пережил ваш отец, да и мы все! Подвал нашего дома, если вы помните, совсем не пригоден к жилью в холодное время, он ведь не отапливается и без окон, очень сырой, плесень на стенах. Когда они заняли дом и в большой гостиной устроили свой штаб (никогда я не слыхала такого слова!), а в папином кабинете стали, как говорят, даже допрашивать людей (наверное, это чистая правда, потому что иногда к нам доносятся крики), так от всего этого мы просто чуть с ума не сошли! Главный их штаб, правда, в другом месте, в доме Дворянского собрания, не у нас. Особенно ужасно было то, что они велели нам никуда не уезжать (а куда мы могли уехать с лежачим папой после удара?), и жить здесь же, внизу. Ты, Лизочка, все это знаешь, ты все это застала. Слава богу, хоть ты уехала. Сейчас мы, слава богу, держимся. Мученье было смотреть на папу, как он болел и плакал. А теперь, когда я знаю, что ему хорошо, мне тоже стало спокойнее. Что будет, то и будет, не в наших силах изменить божью волю. На него уповаю, на милосердие его. Саша устроился, работает техником на железной дороге, боюсь за него. Характер у него тяжелый, неуживчивый, хотя добр без меры, да не вам рассказывать, вы его знаете. Он по ночам почти не спит, читает нам с няней поэта Александра Блока и все повторяет, что это нам возмездие за грехи, революция и большевистская власть. А я иногда думаю: да неужели мы, русские, всех на свете грешнее, что нам такое выпало? Неужели Россия такая дурная, грешная страна и все в ней так дурно, что господь на нее посылает кару за карой?

Новости все очень грустные, даже не знаю, писать ли вам. Здесь у нас расстреливают сотнями, свозят людей в Ключарево и там убивают. Там же и закапывают. Расстреляли, Лизочка, мужа твоей подружки, Надюши Субботиной, Володю. А Наденька родила двоих детей — мальчика и девочку, близнецов. Что с ними будет? Вот такое мне пришлось вам написать печальное письмо, голубки мои родные, девочки. Ради бога, не беспокойтесь за нас, не болейте, все время думаю, как твое здоровье, Лида, и горько плачу...»

* * *

— Ох, как мы задним умом крепки, Аня! Ох, крепки! — Хлопает себя по затылку, смеется. — Я бы сейчас разве так с ней поговорила? Лидке надо было сто раз на дню повторять, что нету никакой ее вины, все под богом ходим. Ну, грешила и грешила! При ее-то красоте? Да ей проходу не давали, мне ли не помнить! Стрелялись ведь за нее! Мальчишки желторотые, гимназисты, на плотине дуэли устраивали! Вышла за Николая Васильевича, что она понимала? А тут — любовь. Конечно, хочется. Куда от этого денешься?

— Так вы что, тетя Лиза, за супружескую измену — горой?

— Я не за измену, Анька, дурында, я за чувства человеческие. Чувство душить нельзя, оно — как зверь в лесу. Ты его подстрелишь, оно отползет, все в крови, еле дышит, и давай раны зализывать! Залижет — и опять на тебя! Нет, тут шутки плохи. Я вот смотрю на идиоток этих, на подруг моих. Половина в могилах лежит — земля им пухом! А счастливой ни одной! Таню Бабанину помнишь, красавицу?

— Да у вас, тетя Лиза, все красавицы!

— Врешь, не все! Сонька Забегалина урод уродом, губки вот так сложит... — Смеется, показывает как. — Сложит губки, как будто у нее там сухарик спрятан, и давай лебезить! «Сю-сю, тю-тю...» А ведь лучше всех прожила!

— Почему?

— А потому что делала все правильно. На рожон не лезла. Все — тихой сапой, тихой сапой. На вторую неделю после свадьбы дураку своему изменять начала, а на людях — посмотришь: два голубя! И под ручку его, и за ручку, тьфу! Прости, господи, меня, грешную!

— Вот сами же и плюетесь!

— И плююсь! А только голову надо иметь — на свете жить! Я Косте своему ни разу даже мысленно не изменила! Так ведь то — Костя! Ни один мужик в подметки не годился!

* * *

Асеев ждал ее на углу Никитской, как всегда. Пойти было некуда. К себе она звала не часто, там умирала сестра. Бродили под руку по заснеженным аллеям. Он не обманывался насчет себя, знал, что с ним происходит. Белые сугробы были покрыты ледяной корочкой, редкие прохожие испуганно пробегали мимо. Никто не гулял так, как они, никто не останавливался, как они, посреди холода и снега, чтобы видеть глаза друг друга.

— Посмотрите на меня, Лиза, — сказал он, — вы верите мне?

— Кому же мне верить, кроме вас? — отозвалась она и крепче прижала к себе локтем его руку.

— Лиза, наверное, это безумие: в такое время, как сейчас, делать женщине предложение?

Она ахнула и открыла рот. Он наклонился, прижался к ее рту губами. Долго не отрывался, у нее остановилось дыхание.

— Лиза, — сказал он решительно, — я вас прошу: не отказывайте мне, давайте повенчаемся.

* * *

— А ты говоришь: трудно, страшно! Ничего не трудно, если любишь! Слава тебе, господи, сорок лет прожили.

— Не ссорились?

— Да что, я помню? Ну ссорились, какая разница? Поссорились, помирились. Главное: дышать не могли друг без друга. У меня вон писем его целая коробка! И каких писем! Кому показать — стыдно!

— Что, любовные?

— А какие же? Очень даже любовные. Мужик был — во! На большой палец!

— Как же вы Лиде сказали про предложение?

— Он сам сказал Николаю Васильевичу.

* * *

— Лидуша, — осторожно позвал Николай Васильевич, — спишь, милая?

— Коля! — Она резко села на постели — золотоголовый, кудрявый подросток с испуганными глазами. — Коля, я умру.

Николай Васильевич страдальчески сморщился.

— Брось, Лида, глупости. Скоро весна, начнешь выходить, солнышко тебя вылечит.

Она покачала головой, из огромных глаз выкатилось по слезинке.

— Мне Ольга вчера сказала, что в деревнях началось людоедство...

Он чуть не схватился за голову: сестры у него — дуры набитые! Ну как можно было Лиде сказать такое? Каким местом, дура, думала? Вслух произнес спокойно:

— Много чего говорят, Лидочка. Людоедство как таковое начаться не может, это патология единичного характера.

— Ну так вот, — прошептала она, — один единичный, второй единичный, третий... Вот и началось...

Николай Васильевич быстро, испуганно посмотрел на нее. Сидит на высоко подложенных подушках, вязаный платок на плечах, прозрачной рукой придерживает его у горла. Глаза почти черные, а на самом-то деле карие, с золотом... Куда все делось? Черными глазами поймала его взгляд.

— Коля!

— Что, милая?

— Береги Николку.

— Лида! Перестань!

— Нет, — настойчиво повторила она, — я тебя прошу: дай мне слово.

— Какое слово? — простонал он. — О чем слово?

— Когда меня не будет, — прошептала она, — дай мне слово, что ты не запьешь, не спустишь с него глаз и все сделаешь так, как если бы я была...

Голос ее сорвался, и она продолжала шепотом:

— Будешь молиться вместе с ним, приведешь к нему... — подняла глаза, — а я упрошу Царицу Небесную, чтобы...

Николай Васильевич перебил ее:

— Лида! Опомнись! Выздоровеешь, выберемся как-нибудь из этого кошмара, возьмем Николку домой, с божьей помощью...

— Вот! — вскрикнула она. — Вот! Сам говоришь: «с божьей помощью»! Коля, только ты меня прости...

Николай Васильевич стал на колени перед кроватью и вжал лицо в подушку.

— Прости меня, — прошептала она и расплакалась, — если можешь, конечно...

Николай Васильевич тут же взял себя в руки и встал:

— Я тебя давно простил, Лида. Наши счеты бог сведет. Не думай об этом.

— Как же? — слабо усмехнулась она. — Как не думать? Мне теперь кажется, что и я людоедка. Съела тебя, бедного...

— Да будет тебе: «съела»! Ты гляди: жирный какой! — Он быстро закатал рукав рубашки. — Кровь с молоком! Давай, милая, я тебе горчичники поставлю. Пойду воды нагрею. Потом чаю горячего выпьешь, пропотеешь как следует.

— Коля!

Он уже был в дверях, оглянулся.

— Что, милая?

— Дай мне слово... О Николке...

Как она изменилась. Силы небесные! И душевно и телесно. Телесно, впрочем, больше. Одни косточки. Ставишь горчичники — лопатки выпирают, как у детей. Грудь похудела, личико обтянуто кожей, под глазами синева. Николай Васильевич заваривал чай. Только для нее, только Лидочке, из старых запасов, они с Лизеттой кипятком обойдутся. Щеки, усы, борода у него были мокрыми от слез, не замечал, не стряхивал.

Куда «этот» делся? Посмотрел бы сейчас на ее тело прозрачное, на лицо с запавшими висками! Небось бы вздрогнул! Не такую соблазнял, не такую в Париж катал! Николая Васильевича передернуло от ненависти. «Ему» не прощу. Не дай бог когда встретиться! Опять оно хлынет изнутри — боль с остервенением. Тут уж ничего не поделаешь. Но она, она, Лида! Даже Николка не вызывает того мучительного обожания, того трепета — где слова-то найти? — как она, ее измученная плоть, которую она боится открывать и показывать — до того изменилась!

Милая моя... Лиза ее упрашивает: «Лидуша, дай я тебе помыться помогу! Впусти меня!» Ни за что. Голос тихий, слабенький: «Я сама, не надо». Стесняется того, как они за ней ухаживают, краснеет, переживает. Прошлой ночью вдруг началась рвота. Выворачивало. Печень, судя по всему. Держал тазик перед ней, она давилась, рвало одной желчью.

— Коля, я сама! Иди спать! Умоляю!

Гладил ее мокрый лоб, целовал руки. Девочка моя бедная... Жена моя, родная, ненаглядная.

* * *

— Лида была так плоха, что мне стыдно стало: как же я им скажу, что мы с Костей венчаемся? С папиной смерти месяца не прошло! Косте говорю: «Жди. Надо, чтобы сестра поправилась, у меня язык не поворачивается!»

— Да ведь время-то какое было! Тетя Лиза!

— А что тебе, Аня, время?

— Как что? А советская власть-то?

— Пропади она пропадом, советская власть! — Оглядывается, сама в ужасе от того, что произнесла. Шепотом, навалившись грудью на стол: — Бесы были, бесы и есть. Костя не зря их так называл.

— Как же в такое время вы умудрялись все это?

— Что — это?

— Ну все? Влюбляться, надеяться? Откуда силы брались?

— А на краю, Аня, у человека сил прибывает. Глупостей в башке меньше. Вот подойдешь к самому краю и... Когда у тебя в подвале мать, и хлеба нет, и брата того гляди — посадят, а здесь, на глазах, сестра умирает, мальчика семилетнего оставляет, а по ночам тебя саму патруль может схватить, и тогда ищи-свищи ветра в поле! А при этом тебе двадцать лет, и тебя первый раз мужик в губы целует, то уж тут... Да что обсуждать! Сдохнем — отдо-о-охнем, как говорится!

— Вы, тетя Лиза, для меня загадка. И всегда были загадкой, всегда! Вы в зеркало посмотритесь: кто хуже вас одет? Никто! Почему вы себя в порядок не приведете? А словечки ваши! «Мужик», «баба»! Не понимаю. — Поджимает губы и сверлит бабушку глазами. Глаза, как у совы, круглые.

Бабушка вздыхает, вытаскивает было из пачки новую папиросу, но спохватывается, сует обратно, бежит на кухню, ставит чайник.

— Ой, ты мне только подруг моих не напоминай! Весь век кудри взбивали, губы красили, все боялись, что их за кухарок примут! На Ляльку с Муськой посмотри: до сих пор фордыбачатся! Муська еще туда-сюда, с большевиком пожила, он из нее дурь выбил, а Лялька?

— Подруги вам не указ, я знаю. Но дядя Костя, покойник, ему разве нравилось, во что вы превратились?

Вместо ответа она заливается, вытирает слезы, выступившие от смеха.

— Ну, Анька, ты у нас дурей дурного, дай тебе бог здоровья! Костя меня на руках носил! Чего ни надень! Однажды только у нас казус вышел. Рассказывала я тебе, как я ногу разрезала? Ломом железным? Не рассказывала?

— Не помню.

— Ну так вот. Мы тогда только дачу построили, сороковой год, перед войной лето. А на даче мы, знаешь, в чем ходили? Рваней рваного! С печкой я мучилась, руки в копоти, в земле, грядки полола. Костя на работе. Каждый вечер приезжал с шестичасовой электричкой. Пошла яму мусорную закапывать к соседскому забору и, ну не помню, как, оступилась, наверное. Короче свалилась прямо на лом, на железки какие-то. Пропорола насквозь. Лежу, встать не могу, кровь хлещет, полноги разворотило. До сих пор шрам. Бежит соседка. В ужасе. «Надо «Скорую», вы кровью истечете!» Побежала в сторожку, вызвали «Скорую». Везут меня в Пушкино, в больницу. Там врач молодой, красавец. Начал мне швы накладывать. А терпеть — сил нет, боль адова! Я ору благим матом. Он рассвирепел: «Молчи, дура деревенская, работать не даешь! Наплодили вас, дикарей, на мою голову!» В таком духе. Вечером Костя приехал. Соседи ему сказали, что я в больнице, он — на электричку и ко мне. Входит в палату — в костюме хорошем, с портфелем, усы подстрижены. Во — мужик! На большой палец! Лучше всех! Он, если выходил куда, — всегда одевался хорошо. Ну и порода, конечно. Что было, то было. Разговаривает с этим врачом, тот как раз больных обходит. Я лежу. Врач его спрашивает: «А вы ей кто?» — «Муж». Тот так и осел: «Ради бога, — говорит, — извините, я думал, она простая совсем, ругался на нее, ради бога, извините!» Костя смеется, а я врачу говорю: «Ничего, говорю, cher ami, бывает...»

— Ну хорошо, тетя Лиза, так что вы мне начали объяснять-то про время?

— А что про время? Пока люди живы — они живы. Он ведь появился тогда, в Москве, Лидкин-то!

— Кто?

— Ну этот, не хочу называть.

— Господи-и-и!

И пришел. Иду вечером с работы, одна, без Кости. Обычно он меня провожал, а тут — одна. Замерзла, как цуцик. Смотрю: околачивается какой-то у нашего парадного. В шубе. И — ко мне: «Ради бога, простите, барышня!» Я говорю: «Вам кого?» По голосу слышу, что из бывших. «Как здоровье Лидии Антоновны?»

Я говорю: «Болеет». Он спрашивает: «Вы, наверное, ее сестра младшая?» Я сразу все поняла. В жар прямо всю бросило. Он тоже понял, что я догадалась. «Разрешите мне зайти. Я ее старый друг». Ну, думаю, дудки! Ни за что не пущу! Он снял шапку, голова такая, знаешь, красивая, лоб, как мраморный, и говорит: «Умоляю вас, Лизавета Антоновна, разрешите нам повидаться». И так он это сказал, что... До сих пор помню! Я говорю: «Лида очень больна, мы не принимаем. Я у нее спрошу, зайдите завтра». И — шмыг в дверь. Лицо горит, руки дрожат, что делать — убей бог, не знаю! Вот ты хотела, чтобы я тебе про время рассказала, вот я тебе и рассказываю! Восемнадцатый год! Все давно в могилах лежат, а у меня — перед глазами! Вхожу: Лидочка спит. Думаю, подожду, пока Коля придет. Приходит Коля. Я молчу. Он измученный, в городе тиф, работы невпроворот, ну как я скажу? Ничего не сказала. А утром заикнулась Лиде. Это был день ее рождения, шестнадцатое февраля.

* * *

Шестнадцатого февраля было нехолодно, с сосулек капало. На рассвете Николая Васильевича срочно вызвали в госпиталь, убежал еще затемно.

— Лидочка, поздравляю тебя! Дай тебе бог поправиться скорее! Смотри, какой мы пирог испекли!

Пирог из ржаной муки — роскошь немыслимая! — испекли вместе с Николаем Васильевичем ночью. Раздобыли где-то несколько грецких орехов, пару цукатов. Вылепили тестом и орехами цифру 30, положили на синюю с белым, английского фарфора, тарелку.

— Прелесть, Лизка! — Кашляет.

Как ей сказать?

В полдень пришли Ольга с Зиной, привели Николку. Николка подрос. Обеими руками Лида держала его за руку. Николка смотрел на нее внимательно, потом спросил:

— Когда ты меня заберешь?

У нее глаза налились слезами. После ухода Николки на полу возле кровати осталась лужица растаявшего снега, натекло с галош.

— Лидочка, ты знаешь...

— Что?

— Лидочка, вчера я иду с работы, и тут, у нашего парадного, стоит твой...

Она приподнялась на подушках, лицо белое, губы раскрылись для крика.

— Врешь...

— Лида!

— Лизка, не надо!

— Лидочка, ради бога, не волнуйся! Тебе нельзя!

— Где он? — Вскочила, худющая, в теплом халате Николая Васильевича, в сером своем платке. — Скажи мне, где он?

— Лидочка, он обещался сегодня прийти... Хотел тебя видеть...

— Меня? — Раскашлялась. — Да разве меня можно показывать?

Закуталась в платок, подошла к окну. И тут же отшатнулась. Обернулась к Лизе, шепотом:

— Открой ему...

* * *

— Откуда ж он взялся?

— Вот этого, Аня, я тебе не скажу, потому что сама не знаю. Все как в тумане. Откуда взялся, куда делся, на похоронах его не было, ничего не знаю. Я ему открыла, а сама забилась в детскую, носу не высунула! Через полчаса слышу: входная дверь хлопнула, значит, думаю, ушел. Вхожу к Лиде. Лежит с закрытыми глазами, лицо — огненное, вся полыхает.

— Ну, сестрички! Хороши обе! Вот уж не думала я, что в такое время...

— В такое время! Умирающая! Она мне говорит: «Я сама Коле скажу, ты не вмешивайся».

«Что ты ему скажешь, Лида, зачем?» — «Я скажу, что он приходил, и мы попрощались. Больше не придет». — «Откуда ты знаешь?» — «Он уезжает. А даже если бы и остался, все равно бы не пришел. Я не велела». Голос убитый. Я говорю: «Лида, Коля хотел, чтобы мы тебе праздник устроили, я Асеева позвала, на пирог. Не говори хоть сегодня, Лидка!» Мотает головой: «Не бойся, я после пирога скажу».

— И сказала?

— А как же!

Николай Васильевич пришел — веселый. Савелия дома не было. Печь горела хорошо, ярко. Лида поднялась, сменила халат на лиловое, довоенное еще платье. Худенькая, стройная, как девочка. Сели вчетвером за стол. Асеев преподнес Лиде носки деревенской вязки, большую плитку английского шоколада. Поставил на стол бутылку спирта. Николай Васильевич развел руками:

— Ну, роскошь! Девчонкам моим пить нельзя, так что мы с вами, Костя, эту роскошь вдвоем и прикончим.

— Николай Васильевич, — торжественно сказал Асеев, — а я ведь свататься пришел.

Лиза подскочила:

— Ой, не надо!

— Лиза думает, что сейчас не время, — не обращая внимания, продолжал тот, — пока Лидия Антоновна не поправилась. Но я у вас ее не отбираю, Лидия Антоновна, я руки прошу.

— Слава богу, — просто сказал Николай Васильевич, — выпьем — и в добрый час! За твое рожденье, Лидочка! А потом за вас. В добрый час, я рад.

Сидели далеко за полночь. Николай Васильевич выпил, размяк, глаза блестели, в бороде — крошки ржаного пирога. Лида улыбалась через силу, кашляла редко, но видно было, что слаба, превозмогает себя.

— Как вы думаете, Костя, — бормотал Николай Васильевич, — выживем мы? Или нас сожрут?

— Сожрут, наверное, — ответил Асеев. — Во всяком случае, громогласно объявят, что сожрали. Тут мы сами себя доедим, потому что ничего другого не останется.

— Подождите, подождите, — жалобно сказал Николай Васильевич, — это что-то мудрено! Ну, скажем, половину убьют, это ясно. Они уж крови хлебнули — вкусно! Им понравилось! Это я понимаю! Ну еще какая-то часть сбежит, осядет где-нибудь, у черта на рогах! Это уже другая история. Но оставшаяся-то горсточка? Вот таких, как мы с вами? С бабами, с этими, с барышнями, с детьми? — Взял Лидину прозрачную руку, поцеловал, провел ею по своей щеке. — С нами-то что будет, Костя?

— Как в Евангелии сказано? — тихо, с недоумением, произнес Асеев. — Помните, Николай Васильевич? Я вон давеча заснуть не мог, перечитывал апостола Павла. Не понимаю! То есть слова слышу, а душа не понимает! «Не мстите за себя, возлюбленные, но дайте место гневу Божию. Ибо написано: «Мне отмщение, Я воздам, говорит Господь». А потом, знаете, что? «Если враг твой голоден, накорми его, ибо, делая сие, ты соберешь ему на голову горящие уголья».

— Я поняла, поняла, — вдруг вскричала Лиза, — я поняла, Коля! Это значит, что не мы должны судить тех, кто мучает нас и убивает, потому что это не наше дело, а божье! Это он их судить будет. Своим судом, не нашим, не людским! А мы должны прежде всего свою душу спасать! Каждый должен свою душу спасать, потому что, если и мы начнем мстить, зла только прибавится! И тогда все, все погибнут! «Не будь побежден злом, — прошептала Лида, кутаясь в платок, — а побеждай зло добром». Разве не все в этом?

* * *

— Я, Аня, Колю никогда пьяным не видела. Лида мне как-то, давно еще, говорила, что он по молодости любил выпить, в студенчестве. Но, как женился, капли в рот не брал, можешь мне поверить. А тут мы засиделись, они с Костей бутылку эту вдвоем вылакали. Моему-то ничего, ни в одном глазу, а Колю развезло.

Отправились спать. Костю оставили в маленькой гостиной, ходить по ночам в городе нельзя было, патрули. Только легли — крик! Николай Васильевич кричит! Я вскочила, бегу к ним в спальню. Ужас! Она ему, сумасшедшая, все рассказала! Нашла время!

* * *

— Подожди, Коля, не засыпай! Я тебе должна рассказать...

— Завтра расскажешь, голубка, ложись...

— Коля! Сегодня ко мне приходил... Днем, когда тебя не было...

— Что-о-о? — зарычал он, вскакивая. — Как, то есть, приходил? Куда приходил?

Она закрыла лицо руками, сжалась под серым платком.

— Коленька, он... он ведь проститься приходил...

— Проститься? — сипло, вдруг пропавшим голосом переспросил Николай Васильевич и пошатнулся. — Это с кем же он приходил проститься? С полюбовницей своей, с сожительницей? Хорош гусь! А где же он был раньше, голубь заморский? Да я, я тебя убью, дрянь! Вон отсюда! — Он с силой сдернул с нее платок, оголив мраморно-белое, худое плечо. — Вон, я кому говорю!

Лиза вбежала в комнату, бросилась к Лиде, обхватила ее обеими руками.

— Прочь! — грохотал Николай Васильевич, широко раскрывая рот, как рыба, выброшенная на берег. — Оставь ее! Знать вас не желаю! Обе убирайтесь, обе!

Проститься он, видите ли, приходил! Он у меня попрощается!

— Коля, — разрыдалась Лиза, трясясь, — Коля, как тебе не стыдно?!

— Мне? — задохнулся Николай Васильевич. — Мне должно быть стыдно? У меня жена проститутка, и мне — стыдиться?

— Как ты смеешь? — срывая голос, прокричала Лиза. — Как ты...

Лида вдруг встала, медленно отвела Лизины руки и вплотную подошла к Николаю Васильевичу.

— Жалко тебе, что я не умерла? — сказала она еле слышно. — Не бойся, ждать недолго. Ты же меня не простил! Смерти мне желаешь, потому что не знаешь, что со мной делать, если я вдруг поправлюсь? Ну, скажи: что?

— А ты? — выдохнул он. — Ты кого-нибудь, кроме себя, любила? Ты обо мне хоть раз вспомнила?

— Выпусти меня отсюда! — Лида оттолкнула его. — Я ухожу!

— Куда-а-а? — прокричал Николай Васильевич. — Куда ты уходишь? Кому ты нужна, кроме меня?

Она опустилась на синюю скамеечку у погасшей печи. Лицо ее огненно вспыхнуло и тут же посерело. Николай Васильевич всмотрелся.

— Лида, — изменившимся, прежним своим голосом, спросил он, — что с тобой?

Она наклонилась вперед и опустилась на пол.

— Лиза! — закричал Николай Васильевич, подхватывая ее. — Лиза! Быстро — шприц! Быстрее! Ей плохо!

* * *

— Когда же она умерла?

— В начале марта. Второго. И моя, — смотрит на мамину фотографию, — тоже в марте, восьмого. Проклятый месяц, проклятый.

— Мучилась?

— Кто?

— Лида.

— Задыхалась. Дышать нечем было. Коля от нее не отходил. В последний день мы сидели у ее кровати, она уже без сознания была. Агония. Дышала так, никогда не забуду. Вздохнет и затихнет. Каждый раз казалось, что это уже все, последний вздох. А она опять — с мукой, со свистом... Не приведи бог! Коля мне говорит: «Выйди, я хочу один с ней быть». Я расплакалась: «Можно останусь?» Тут Лида задрожала вся, забилась и словно привстать хочет. Он сказал: «Все, кончается, возьми ее за руку». Я за одну руку взяла, он — за другую. Она вздохнула, выдохнула. И все.

Затягивается «Беломором», вытирает глаза.

Николку привели в церковь. Худенький, кудрявый, на нее похож. Открыли гроб. Лежит спокойная. Ну что говорить! Хорошо хоть похоронили по-человечески! Тогда уж и отпевать-то боялись, большевики ведь...

* * *

...Я часто вижу ее во сне, очень часто. Несколько раз мне снилось, что я уехала, а ее оставила. Тогда же, во сне, я начинаю вспоминать, как это было: больница, палата на двенадцать человек, медсестра Валечка, шоколадки, трехрублевки.

Лежит у окна с закрытыми глазами.

Наклоняюсь:

— Бабулечка!

Не отвечает, не слышит.

— Ну посмотри на меня!

Открывает измученные, под мутной белой пленкой, глаза.

— Бабулечка!

— Как тебя зовут? — шепчет она с трудом.

Во сне я пытаюсь понять, где правда? Неужели я уехала и бросила ее? Да нет же. Почему этот ужас преследует меня?

Она умерла, шел дождь со снегом, у мальчика моего был коклюш. Две недели после ее похорон мы жили не в своей квартире, а в центре, у мамы моего мужа, напротив кинотеатра «Повторка».

Вернулись домой, и я попросила вынести на улицу огромное красное кресло, в котором она сидела целыми днями, пока ее не забрали в больницу...

* * *

Сизый махорочный дым стоял в весеннем воздухе. Бабы с мешками, подростки, грудные дети на руках, солдаты на костылях — все это жаркое, громкое человеческое месиво до отказа забивало перрон.

— Сейчас будут впускать в вагоны, — сказал он, нервничая и крепко обнимая ее — как ты доберешься в этом аду!

— Не бойся, Костя, доберусь. — Она, не отрываясь, смотрела ему в лицо красными глазами.

— Умоляю тебя, приезжай скорее!

— Ни минуты не задержусь. Все время буду наведываться к Николаю Васильевичу, о Николке не беспокойся, Лиза!

— Что? — Смотрит, не отрываясь. Сколько ночей не спала. Глаза воспаленные, нос заострился.

— Ненаглядная моя. Береги себя.

— И ты себя. Дай я тебя перекрещу. Прощай.

— Телеграфируй сразу же, слышишь?

— Костя!

— Не плачь, не плачь, ну что ты, дурочка моя маленькая? Я же приеду!

Поезд шел медленно, часто останавливался. Мысли путались. Она поправляла под головой скатывающийся вещмешок, крепко зажмуривалась.

В день Лидиных похорон шел крупный веселый снег. Опускался на открытое Лидино лицо и не таял. Вот ужас-то.

— Николай Васильевич, гроб пора закрывать. Вы слышите, Николай Васильевич!

Отмахивается. Стоит, без шапки, седой, взъерошенный, прижимает к себе Николку.

— Прощайся с мамой, Николка! Не бойся!

* * *

А я как скажу маме? Нашей маме? Как произнесу?

* * *

В подвале их бывшего дома на бывшей Большой Дворянской было холодно. Сидели на отцовской, аккуратно застеленной постели: Лиза, мама, Саша. Няня за столом. Мама тихо плакала.

— Лиза, иди поешь, — негромко позвала няня, — тощая стала, не приведи бог!

Ест с жадностью. Няня рассказывает:

— Муся себе жениха завела. Большевик. Из гимназии выгнали, шлялся тут. Ну и прибился к этим. Девку жалко. Ушастый, страшный. Чего в нем нашла?

В субботу втроем пошли в баню: Муся, Лиза и Таня Бабанина, губернаторская дочка. Родители, слава богу, успели умереть накануне семнадцатого, Таня в анкетах на вопрос о происхождении писала: «отец — дворник».

Разделись. Сели на лавку.

— Сидим в чем мать родила, смотрим друг на друга и смеемся. Ну страшны, ну худы! Обстрижены, как дьячки. Без слез не взглянешь!

— Так что вы смеялись-то?

— Да молодые были! Молодые были, Аня, вот и смеялись! Я говорю: «Муська, помнишь, как мы в Большой ходили? Я с Лидкиной песцовой муфтой была? Конфеты помнишь, которые швейцар отобрал?

— Какие конфеты?

— Сидим мы на галерке в тринадцатом году и видим: входят в правую ложу дама с кавалером. Красавцы! Она в боа белом, вся в бриллиантах. Он перед ней коробку конфет — хлоп! На красный бархат! Раскрыл. Огромная коробка. Шоколад. Она взяла одну конфетку, взяла вторую, послушали пол-акта, зевнули и ушли. Коробка осталась. Я Муське говорю: «Антракт будет — мы возьмем». Антракт. Мы в ложу в эту, пустую. Только свет зажгли. Муська — на корточки, чтобы ее не увидели, и тянет руку к коробке. И тут сзади бас, как у Шаляпина: «Э-э, нет, барышня, это мне». Швейцар! Муська от стыда так на корточках и осталась! А ананас у Елисеевского? Еще лучше!

— Какой ананас?

— На спор. Мы с Муськой поспорили, что она из Елисеевского ананас вынесет. Просто так, из хулиганства. А там приказчиков видимо-невидимо! Особо не вынесешь! Ждем час, ждем другой, пока приказчик отвернется, а тот как назло: «Чем могу служить, барышни?» Глаз с нас не сводит.

— Ну, вынесла?

— Вынесла. Она ему, я думаю, надоела просто, он и отвернулся. Муська ананас в муфту и на улицу! Стоим, хохочем, чуть не описались! Пришли домой, разрезали, а он — кислей лимона! Несъедобный!

— Мусенька, ты одурела: за коммуниста идти! А венчаться он будет?

Голая Муся качает головой:

— Он же неверующий... Им нельзя венчаться.

— Да зачем он тебе?

— Я его полюбила, Лизочка! Он из такой несчастной семьи, он не виноват! Отец пил горькую, семь человек детей! Ну сама подумай! Конечно, он пошел в революцию! Революция его освободила!

— Чего-о-о? От кого она его освободила?

— Ну как... Они же бедные были, нуждались...

— А если бы мой отец пил горькую, мы что, богатыми бы были?

— Не знаю, Лиза, он мне так объяснил...

* * *

— Мы, Аня, в ту весну всю крапиву в городском саду съели. Суп из нее варили. Ржаные зерна растирали, варили кашу. Все, что могли, на еду меняли. Саша болел, с работы его поперли, я машинисткой устроилась. Там хоть паек давали. Лялька Головкина там со мной работала. У няни ревматизм начался, еле ходила. Каждый день я ждала Костю. И дождалась. Сижу у нас в тресте на лестничном подоконнике, закуриваю. Самокрутку, знаешь? Она рассыпается. Вдруг внизу слышу: дверь — вжж-и-к! Не знаю как, а сразу поняла, кто это. Шаги узнала. Взлетел одним махом. С кожаным баулом, больше ничего не было. Обвенчались мы на следующий день. А через год девочка наша родилась...

* * *

Концерт в Линнской синагоге, вечер русского романса. За окном — синий кусок океана, запах гниющих водорослей... Чайки...

Ноябрь — декабрь 2000 г.

В ОДНОЙ ЗНАКОМОЙ УЛИЦЕ
Я ПОМНЮ СТАРЫЙ ДОМ...

Глава первая:
МАТРЁНА

Дома, в который меня, новорожденную, принесли из больницы, давным-давно нет в живых, однако и это — неполная правда, как многое, впрочем, на свете. С редкой для деревянного двухэтажного существа настойчивостью он продолжает появляться в моих снах. И стало быть: раз я жива, то он тоже жив. Со мной дом пока что бессмертен.

Рамы на окнах были двойные, на зиму их прокладывали ватой. Мороз покрывал инкрустацией стекла, на них появлялись лохматые пальмы, потом белоснежные лилии. Вообще красоты было много. В нашей квартире, во всяком случае, было на удивление много красоты. Во-первых: все мы, исключая Матрёну. Но Матрёна не так часто мозолила глаза, потому что с раннего утра и до самых сумерек стояла на большой аллее Ваганьковского кладбища с протянутой рукой. Она была: нищая. О, тут-то вот и появляются страсти! Наш дом был не только прекрасен собою, наш дом был наполнен страстями. Наверное, он потому мне и снится. На три семьи приходилось четыре комнаты.

В двух смежных, больших, с гладкой кафельной печью, стоящей, как памятник веку минувшему, жила сама я, папа, бабушка, дедушка. В других, тоже смежных, однако поменьше, жила тетя Катя с супругом-татарином и эта вот нищая бабка Матрёна. Матрёна при полном своем одиночестве считалась семьей, и ей полагалась отдельная комната.

— А я вчера к ней захожу, — певуче рассказывала тетя Катя, — и вижу: лежит. Дак лежит и не дышит! Я к ней-то поближе, поближе, боюсь, померла, а она глазенки открыла да как, значит, гаркнет: «Пошла вон отсюда!» А я говорю: «Ты, Матрёна, воровка». И задом к ней стала. И на пол ей харкнула. И тут, дак, ушла.

— И правильно, Катя, — кивает бабуля. — Что с ней говорить! Как об стенку горох!

— А сами-то вы ведь боитесь ее. Она у вас все серебро потаскала, а вы, дак, ей слова, поди, не сказали! Она у вас, дак, все тарелки растащит!

И прячет лицо в красный пар от борща. Я чувствую, что тетя Катя красавица. Она выше всех, даже папы и дедушки, с руками, как бревна, с ногами, как бревна, но вот голова небольшая и гладкая. Ее обвивает коса. Когда, вся заснеженная, тетя Катя приходит с мороза, трясет снег с платка, — в косе зажигаются искры. Потом искры гаснут, но мокрые волосы еще долго пахнут сугробом, лоснятся.

— А Саша мой мне говорит, что, дак, видел, как эта Матрёна из вашей кастрюли чего-то хлебала. Стоит в темноте и хлебает, и жамкает. А вам, дак, плювать! Ведь плювать? Что молчите?

Бабуле, однако, совсем не «плювать». Матрёна хлебала из нашей кастрюли, а если в Матрёне, положим, глисты? Они теперь что? Тоже в нашей кастрюле?

— Пойду ей скажу. Пусть ответит: какую, мерзавка, хлебала кастрюлю?

И, вытерев руки о влажный передник, стучится к Матрёне:

— Матрёна, открой!

Сначала все тихо. И тихо, и страшно. Матрёниной смерти все ждут так, как ждали, наверное, только победы на немцем.

— Иди...

Это стон, это шелест травы, сухой, уходящей под снег и покорной.

— Матрёна! Какую хлебала кастрюлю?

— Чего я хлебала? Опять набрехали... Я Катьке, паскуде, все патлы повыдеру... Дай Бог мне подняться... Иди...

И клекот из горла. И вновь тишина.

Матрёниной смерти не помню. Исчезла однажды, и все.

Пришел участковый и с ними домуправ. В той комнате, где проживала покойная, стоял аромат векового тряпья. Спала на тряпье и тряпьем укрывалось. Однако порылись и видят: сундук. Вполне неказистый, угрюмого вида. Закрыт и не видно ключа. Взломали, конечно. И сразу ослепли: сундук был наполнен до самого верха серебрянной мелочью. Монетка к монетке, весь переливался. Тут домоуправ и закрякал, как утка: «Эк, эк». Участковый за ним. Покрякали и унесли наши денежки.

Глава вторая:
СВАДЬБА

Тетя Катя никогда не называла дядю Сашу «мужем». Она говорила: «супруг», а чаще пышнее: «супруг Александер». У нас называли его просто «Сашкой».

— Поганый ты, Сашка, мужик! — сказала бабуля однажды в глаза.

Супруг Александер моргнул, но стерпел, зато тетя Катя обиделась:

— У вас у самих зять яврей. Дак что нам теперь? Из квартиры сьезжать?

История такая: в подвале нашего деревянного четырехквартирного дома, принадлежащего до революции какой-то купчихе, а может, купцу, жил дворник с семьей. И был он татарином, и дети его тоже были татарскими. Про них говорили: «татарские дети». Они были смуглыми, быстрыми, юркими, их очень нечасто и мало кормили, поэтому дед иногда приглашал «татарских детей» к нам обедать. Когда мы обедали вместе, то я ликовала: они были — гости, к тому же — мои.

Года за три до моего рождения и за шесть, стало быть, лет до смерти моей молодой и грустной, судя по ее фотографиям, мамы, к своему брату, живущему в подвале и служащему дворником целого нашего переулка, пришел молодой Мустафа. Пришел не один, с русской женщиной Катей. А был Мустафа очень мелким, но жилистым, и Кате едва доставал до плеча. Она же была величавой и крупной, с глазами такого же цвета, как поле, когда урожай только-только собрали, и осень в узорном платке до бровей, стоит на пороге. Пришли они, сели. Обветренный дворник, весь обремененный детьми и в калошах, спросил Мустафу, для какой-такой цели ему нужна русская женщина Катя. На что Мустафа, дернув жилистым горлом, сказал, что он с Катей вчера расписался.

Тут нескольких крепких, но Катей не понятых слов на татарском, решили все дело: новобрачный, лицо у которого стало малиновым, порвал с родным братом семейные связи, отрекся от всех мусульманских законов и взял себе русское имя. И так прошло целых шесть лет. Теперь, после смерти Матрёны, каморка, в которой старуха держала сундук, спала на тряпье и тряпьем укрывалась, досталась законной супружеской паре.

Много, много прекрасного было в нашем доме! Хотя бы вот эта их новая спальня. Такую кровать, в пышных белых подушках и всю в кружевах, всю в каких-то накидках, создать просто так — без любви, по расчету и без понимания роли семьи — нельзя, не создастся такая кровать. А если создастся, то тотчас и рухнет, уйдет на дно жизни, как славный «Титаник». Мне кажется, что при субтильном росточке порвавший с народом своим Мустафа, а ныне супруг Александер, не мог сам залезть на такую кровать, и мощная, с бедрами, круче колес, жена поднимала его, как ребенка, и он засыпал там внутри ее бедер, внутри кружевной белизны, и кукушка в настенных часах отмеряла обоим течение их незатейливой жизни.

Утром супруг Александер выходил на кухню в трусах до колен и сетке на черных своих волосах. Он шел чистить зубы, а все остальные стояли и ждали, пока он почистит.

— Эмаль соскребешь! — говорила бабуля. — Не белыми будут, а как из железа!

Он не отвечал. Все стояли и ждали. Одна тетя Катя с лицом, красным, крупным, ходила степенно из комнаты в кухню и снова обратно то с тазом, то с чайником, то с горкой оладий, то с кислой капустой. И гордость была в ее сильных чертах.

Однако при всей этой полной идиллии не все было просто. Я слышала, как, отсморкавшись в кулак, она со слезами шептала бабуле:

— Ни свадьбы, дак, не было, дак, ничего! Живем, как собаки, прости меня, Господи!

— А сколько таких! — утешала бабуля.

— Дак мне наплевать! — Тетя Катя плевала и тапочкой терла слюну. — Дак плевать!

Чем ярче она натирала мастикой свой пол и чем больше солила капусты, чем чаще давилась по очередям за модным немецким фарфором и чешским (еще даже много модней!) хрусталем, тем все неустанней болела душа. Ах, вот кабы в церковь! Другой разговор.

В церковь бывший мусульманский человек Мустафа идти отказался:

— Смотри, Катя, брошу!

И он не шутил. Тогда она и настояла на свадьбе. Спасибо судьбе: схоронили Матрёну и стало гораздо свободней с жилплощадью. Пошили хорошее белое платье, еды наготовили — полк накормить. Супруг Александер ходил недовольным и зубы стал чистить три раза на дню. К тому же он взялся еще парить ноги, но это уже перед сном. Сидел у окна, две ступни — в кипяток, кричал тете Кате:

— Подлей! Остывает!

Она подливала из синего чайника. Над ними плыл пар.

На свадьбу пришли все свои, то есть дом в его окончательном полном составе. Из первой квартиры — Елена с племянником. Елена — старуха, племянник — больной, у нас говорили, что он: «дефективный». Соседка ее Серафима, из «бывших», во рту папироса, родных — никого. Был дядя, но дядя за что-то сидит. Она, Серафима, молчит, только курит. Из третьей пришла семья Карповых: муж похож на жену, как две капли воды, жена так же точно похожа на мужа. Короче: как два близнеца. С собой привели всех детей, уже взрослых. Сын только из армии, но уже пьет. Пока что не сильно, но это пока что. Из нашей квартиры — бабуля и дед. Бабуля пошла в чем была, ей «плювать», а дед надел галстук и даже пиджак.

В подвале родня Мустафы — Александера, по запаху судя, травила клопов. Так крепко травила, что окна открыли.

— Они, дак, назло, за клопов-то взялись! — Невеста сморгнула блестящие слезы. — Век жили с клопами и, дак, ничего! А тут им приспичило! Дак чистоплюи!

Поели блинов с крупной красной икрой, потом пирогов, потом подали студень. Все выпили, даже бабуля и дед. Племяннику (даром что он «дефективный»!) налили в стаканчик, и он тоже выпил. И стало совсем хорошо на душе, а Карповы: муж, и жена, и все дети сказали, что самое время петь песни. Их сын развернул было новый баян, но вдруг, ярко-красный, поднялся жених, оперся рукой на затылок невесты и тут все заметили, что жених пьян.

— Не надо мне этого... И не хочу... — сказал Александер. — А ты, ты пошла... — И он смял на Кате бумажный цветок. — Пошла, я сказал!

И передразнил ее речь:

— «Дак» да «дак»! Гусыня какая нашлась! Ишь ты, ну ты! Я сам буду петь! А ты: ни гу-гу! А то щас возьму да и выкину всех!

— Ты что, Сашка? Сядь! — прошептала бабуля. — Ты, Сашка, на свадьбе!

— Чихать мне на свадьбу! — ответил строптивый и тут же запел:

> — Туй кулмаге-е-е ак ефакте-е-е-е-ей,
> Кызлар гуя-я-я аккошла-а-а-ар,
> Аклык бит ул, сафлы-ы-ык бит ул,
> Яусын айда-а-а алкышла-а-ар...

Допев эту малоизвестную песню, он выпил стакан, закусил его студнем и снова запел:

> Алмакле-е-е-ер, ак телакле-е-е-ер,
> Туйда-а-а гомер-гомерга-а-а-а,
> Туй кулмаге киге-е-е-ен кызнын,
> Урыны булла-а-а-а гел турда-а-а...

Куплеты и стоны сменяли друг друга: во всех была степь, кочевая кибитка, высокие кони, свободные ветры... Никто не солил в степях кислой капусты, не чистил зубов, ног не парил в тазу, но все были дикими, сильными, вольными, свистело в ушах, развевались знамена, и жен было много, и много скота...

Глава третья:
У НАС БЫВАЛ ПУШКИН

Карповы из третьей квартиры въехали в наш дом позже, чем дед с бабулей и только что родившейся моей мамой (меня тогда как-то загадочно «не было»!), они в него въехали вместе с Матрёной (которая теперь «уже не было»!), а до этих Карповых с их баянистом, который нас всех доводил до мигрени, в квартире их часто бывал сам внук Пушкина.

Я это узнала из разговоров моей бабули с ее подругами.

— Дурак был набитый! — говорила бабуля, сидя на диване с поджатой по своей привычке правой ногой. — Набитый дурак! Генерал.

В отличие от нее, резкой, умной, решительной, подруги всегда почему-то стеснялись, а самая милая, самая славная — Головкина «Лялька», как все называли ее, к тому же еще и немного картавила.

— Да как же он был: генегал и дугак? И, кгоме того, ведь такая семья...

— Семья-то при чем? — возражала бабуля. — В семье один Пушкин и был только умным!

— Не пгосто был умным, он был гениальным!

— Уму не мешает. А внук был — дурак!

— Какая вы, Лиза, всегда нетегпимая...

— Ты, Лялька, зато уж **такая** терпимая!

Бабуля всегда говорила ей «ты», а Лялька всегда только «вы».

— А чем же он был таким глупым?

— А всем! Женат был, с детьми. А башку потерял!

— Вы, Лизочка, так говогить не должны. Ведь он же хотел *ей* помочь, вы сказали?

— Таким не поможешь. Катилась, как в пропасть! — Бабуля махала ладошкой. — Как в пропасть! И что? И скатилась.

Несмотря на внимание, с которым я слушала эти разговоры, моему шестилетнему жизненному опыту никак не удавалось составить цельной картины. Была, значит, женщина в третьей квартире. И к ней приходил генерал, но дурак. К тому же: внук Пушкина. Дальше-то что?

Итак, в нашем доме была еще: тайна. Была и осталась. Ведь я же не знаю и вряд ли узнаю, к кому приходил в двадцатые годы «дугак — генегал» и чей он был внук. Теперь-то там Карповы с аккордеоном, сидят щи хлебают, а раньше «мужчин, как магнитом, тянуло».

— Ведь вы ее, Лизочка, видели часто? Она ведь вам нгавилась?

— Мне? Никогда! Худющая, слабая! Лежит, вся в мехах. А чего ты лежишь? Вокруг-то... — Бабуля моя озиралась. — Вокруг-то ведь: *большевики!*

— И часто он к ней пгиходил? Генегал?

— Ну, я не считала. Ходил и ходил. С авоською. А то и с бидоном.

— Навегно: когмил. Благогодные люди...

— Кому это все благородство их нужно? Однажды пришел, а квартира закрыта.

— А где же *она*?

— Говорили: уехала. Не знаю куда. Врать не буду, не знаю!

— Тогда, Лиза, многие так уезжали...

Бабуля вздыхала. И Лялька вздыхала. И я вслед за ними. И снег заметал следы торопливых прохожих, стараясь, чтобы ничего не осталось на этой сияющей, чистой, идущей к нам с неба сплошной белизны.

Глава четвертая:
КАК ГРИША СГОРЕЛ

Не хотелось бы мне останавливаться на грустном. Оно всех само на себе остановит, когда придет время. А время придет. Но Гриша — сгорел. Это факт. Наверное, не снился бы мне этот дом, не будь в его теплом нутре — в этих «сдобах», которые часто пекла тетя Катя, в его этом синем, крутом кипятке, в котором часами варил свои ноги свободолюбивый супруг Александер, в руках моей бабушки, быстрых и легких, — не будь в этом теплом его, млечном, детском нутре одной вспышки бенгальского пламени, в котором сгорела нелепая жизнь. Гусарская жизнь на советский манер.

Мне кажется, Гриша жил в том самом доме, где Алка Воронина, но он постоянно крутился у нас, в семье этих Карповых, столь музыкальных. Бабуля моя говорила: «красавец». И он был красавец. Высокий, кудрявый, с глазами, такими блестящими, светлыми, что до сих пор помню: блестели, как звезды. Но, кроме своей красоты, он был добр. Вернувшись из армии, Гриша запил. Несчастье какое-то с этим питьем! Ну, Карпов пусть пьет, пусть и Алкина мама, но Гриша с кудрявой его головой, с приветливой, ясной, счастливой улыбкой, и с тем, как он сам подбирал по дворам убогих котят и кормил их из соски! Потом по квартирам ходил: «Не возьмете? Хороший котяра. Мышей ловить будет». И многие брали: умел уговаривать.

И вот он запил. Стал худым и тоскливым, запали глаза. Он сначала их прятал, пытался шутить:

— Да я так только, с другом.

Потом и шутить перестал. Идет по двору, на ногах еле держится, и снег на кудрях. Обопрется о дерево. Стоит и плюет, и бормочет невнятно. Бабуля моя его увещевала:

— Ты, Гриша, красавец! Ты умница, Гриша. Профессия ведь на руках, ты механик! Женись! Тебе, Гриша, квартиру дадут.

И вдруг он нам всем сообщил:

— Я женюсь.

Пришел в гости к Карповым с этой невестой. Живот у нее был большим, выдавался, а «мордочка», — как объяснила бабуля, — «вполне ничего, на артистку похожа».

За месяц до свадьбы он вновь стал веселым, пить, правда, не бросил, но все обещал:

— Родится пацан, — сразу брошу. Нельзя. К отцу уважение нужно иметь.

Не знаю я, где они свадьбу играли. Наверное, в доме невесты. В чужом, и высоком, и каменном доме. (Сыграли бы в нашем, простом, деревянном, и был бы он жив, и сейчас еще жил бы.)

Весна была, пух по бульварам летал, как будто веселые ангелы в небе возились, смеясь, и щипали друг друга за пышные крылья. Открыли все окна. Жених, уже пьяный, сел на подоконник. Спиной к небесам. И вдруг улетел. Перегнулись и видят: лежит на асфальте, а волосы — красные.

У нас говорили, что Гриша «сгорел». Я не понимала: ведь он же разбился? Теперь понимаю: конечно, сгорел.

На этом и останавлюсь. Лягу спать. Приснись мне, мой дом. Я жива. И ты тоже.

ПОВЕСТЬ

ЖИЗНЕОПИСАНИЕ
ГРЕШНИЦЫ АДЕЛЫ

Был хороший провинциальный город, зеленая и мирная австрийская провинция. Явились румыны в своих этих шапках, усатые, смуглые, без церемоний. Сказали, что это — их город. Ну, пусть. Как жили, так жили. Румыны, австрийцы... А куры на рынке — все те же, петрушка — все та же.

Еврейские мальчики учились в австрийской гимназии — как она была австрийской, так и осталась, — читали Гомера, зубрили Горация. Кричали друг другу на чистой латыни: «Veni! Vidi! Vici!» А после дрались беззаботно. Ходили к молочнице, маленькой, доброй и сморщенной, вроде подгнившего яблока. Молочницу звали фрау Гавричек. Когда бы она дожила до сегодня, ей было бы... сколько? О, много. Не меньше, чем сто пятьдесят. А жаль, что она померла. Когда помирают такие вот тихие, смирные люди, особенно грустно: добра в жизни меньше.

У фрау Гавричек был подвал, заставленный банками с молоком. Молоко сворачивалось, потом становилось сметаной и творогом. Мальчики в серых гетрах и тяжелых башмаках играли на поле в футбол. Зеленое поле пропахло их потом. Фрау Гавричек приставляла ладонь к глазам и звонко кричала:

— Попить не хотите?

Мальчики вытирали пот под волнистыми волосами; хрипя и откашливаясь, бросались в студеный подвал.

— Ах, мейн Готт! — восклицала фрау Гавричек. — Вы все мне побьете! Мейн Готт!

В подвале доставала белые кружки, доверху наполняла их свежим кефиром. Переступая своими тяжелыми башмаками, мальчики пили солидно, большими глотками. Потом убегали обратно на поле.

Адела слушала рассказы об умершей к тому времени фрау Гавричек в таком же подвале. Рукой прикрывала звезду на нестираной кофте. Звезда была желтой, а грудь — сильной, жадной, большой, выразительной лепки. И все было сильным, особенно взгляд — чернее парны́х вечеров Буковины, когда ни звезды, ни луны, только шум: не то это ветки шумят по дубравам, не то на горах, скрытых мраком, резвятся кудрявые ангелы — мертвые детки. В подвале Аделу и мать вместе с отчимом спрятала молдавская семья. Еще одни добрые люди. Адела однажды припала губами к руке молдаванина. Рука была черной, в больших заусенцах. Старик-молдаванин немного смутился.

— Зачем вы нас прячете? Вас же убьют! — сказала Адела.

— Успеешь еще умереть. Молодая, — сказал молдаванин.

В подвале прожили три года. За это время ненависть к тем, из-за которых она три года не видела солнца, стала такой горячей, что Аделе никогда не бывало холодно. Чем больше ты их ненавидишь, тем жарче. С таким вот нутром вышла из подземелья. Красавица —

вся, только росту большого. И ноги большие, и руки. А кудри! Из этих кудрей свить петлю да набросить на шею коня — конь повалится сразу.

Войны уже не было. Немцев прогнали, румынов прогнали. Осталась родная советская власть. Однако базар был все тем же, петрушка все та же. Кур резали так, как Марат с Робеспьером своих неугодных французских сограждан: головку на плаху — и нету головки. Бежит по базару багровая птица, из шеи фонтанчик. Куда ты, наседка? Тебя больше нету!

Адела же пела, училась вокалу. Прекрасный был голос, густой и богатый. Вокруг говорили: «Дай Бог ей здоровья! Наверное, станет московской певицей!»

В Москву Адела поехала поступать в консерваторию. В Москве тогда жил ее брат. Когда-то он очень несчастно женился, страдал, но весной того года судьба пожалела его: встретил девушку. Теперь нужно было бы снова жениться, но как, если нету развода?

Иногда кажется, что многие люди появляются на свете случайно. Вот, скажем, война, и какой-нибудь Фридрих спит с русой какой-нибудь девушкой Нюрой. А может, не Фридрих с ней спит. И не с Нюрой. Но звезды на небе вдруг вздрогнут: случилось! Сменяются три быстрых времени года: простреленный Фридрих гниет в чистом поле, а Нюра пугливо качает младенца. Случайность? Да как посмотреть... Вот и здесь похожая история. Старший брат Аделы случайно оказался в Москве. Он оказался в Москве, а в это же самое время его одноклассников, голых, костлявых, сгоняли в просторные камеры «мыться». Не всех. Потому что другие кричали: «За Родину-у-у! У-у! За Сталина-а-а! А-а!»

Одни докричали, другие сгорели. Но так всё на свете: один прогорает, другой проедает, а после — все вместе, и кости смешались. Чернеет земля, орошенная ливнем.

Аделин брат прямо с фронта был отправлен в Сибирь, где долго валил русский лес на морозе. Считался, однако, не зэком, а ссыльным. И в той же Сибири прибился к семейству. Его подкормили, его приласкали. В семействе две дочки. Окончили школу, а тут и война. Собрались, поехали в эвакуацию. О грустная, грустная жизнь человечья! Подхватит тебя, как песчинку, и ветром, и бурей, со стоном и звоном уносит куда-то. Вернешься? Кто знает... Молись и терпи.

Обласканный брат очень вскоре женился на младшей, Ревекке, родил с нею сына, и все они вместе вернулись в Москву. Младенец был худеньким, голубоглазым, отец грел его на вокзалах дыханьем.

Еще прошло время. Москва, все чужое. Ревекка не любит его, он — Ревекку. Ребенок растет, очень худенький, хрупкий. И вдруг эта девушка с ласковым смехом... Но главное: взгляд, светло-серый, целебный. Он начал метаться от девушки к сыну, потом заявил, что уходит из дому. Тесть, маленький, умный, в атласной ермолке, сказал, что раз так — сына он не увидит. А тут ко всему приезжает Адела. Ревекка не очень страдала. Ревекка была равнодушна и к браку, и к мужу, и к дому, и к сыну, но музыку искренно, страстно любила. Поэтому когда он, наполовину ушедший от жены, от отца жены, от матери жены, от старшей сестры жены и только не знающий, как же быть с сыном, сказал, что Адела приедет учиться, Ревекка, жена, равнодушная к мужу, сказала, что в *этом* всегда ей поможет.

Но именно в консерватории, то есть в самой что ни на есть сердцевине возвышенного, и случился тот скандал, который изуродовал Аделину жизнь. В приемной, где сидели молодые юноши и девушки в ожидании прослушивания, одна из этих совсем молодых, свежих девушек, которых судьба еще не обижала, вдруг громко сказала в затылок Аделе:

— А эта жидовка что здесь потеряла?

И тут же настало возмездие. Большая, белее, чем снег Буковины, Адела, обернувшись, так мощно обрушилась на тщедушную, в лимонных кудрях, слаборукую девушку, что кровь, хлынувшая из этой девушки, закрасила мокрым и жирным ковер (который был красным, но много бледнее), и грудь слаборукой, и всех, кто вмешаться хотел в это дело. Она избила свежую девушку с такою недевичьей яростной силой, как будто вернулись все те, кто хотел, чтоб мать, и Адела, и отчим Аделы остались навеки в молдавском подвале.

Вызвали милицию. В консерватории, где люди должны услаждать друг друга звуками Моцарта и Бетховена, случилось буквальное кровопролитье. Аделу впихнули в большую машину, и брат ее был вскоре вызван в милицию. Могли посадить, могли дело затеять: с лимонными прядями, та, слаборучка, лежала в медпункте и громко стонала. Но брат был уже москвичом: сунул взятку. Аделу вернули в семью. А вечером брат и Ревекка с ее очень выпуклым пристальным взглядом простились с Аделой уже на вокзале. Вернулась к себе, в город тихий, зеленый. Вокалу училась в училище. Ночами ей снились румыны и немцы, но часто бывало, что русские тоже. Солдаты с овчарками, рельсы, вагоны... Она просыпалась в слезах и стонала.

В эту зиму за нею начали вовсю ухаживать молодые люди, поджидали ее возле училища, поигрывали мускулами. Но этих людей было, кстати, немного. Одних застрелили, другие сгорели. А девушки — что? Ну, беретик надвинут, ну, гребень какой-нибудь вставят в прическу, помада там, шпильки — а счастья ведь нету. Грызешь кукурузу с досады и плачешь.

Прошел почти год. По дороге в училище (Адела обычно ходила пешком) ее догнал сильный красивый военный. Сказал, что из Киева, в командировке. Глаза голубые, в глазах — одна наглость. Он взял ее под руку, нежно, но крепко. Неделю лежали на травах, на сучьях — весна расцветала вовсю, разгоралась, и всюду палило свирепое солнце, и мухи блестели своими телами. Лежали в любви, наслажденье, согласье, шептали какую-то глупость, кричали. Потом он исчез. Вроде в Киев уехал. А вскоре вернулся опять, но женатым. Увидел Аделу в трамвае и спрыгнул: на полном ходу, как какой-нибудь школьник.

Теперь по ночам Адела рисовала себе страшные картины. Вот она входит к ним в дом, достает нож и закалывается прямо у них на глазах. Они же при этом лежат на постели, грызут шоколад и едят мандарины. А то еще лучше: она подходит к его жене, которая стоит, склонившись над базарным прилавком, где разные яйца, укроп, помидоры, и острым ножом протыкает ей сердце. Жена тут же падает на помидоры. Хотелось, чтоб крови лилось очень много, но также и слез. Может, слез даже больше. И *он* чтобы очень рыдал. Это важно.

И вдруг появляется Беня, бухгалтер. Лицо как лицо, рот большой, темно-красный, с как будто приклеенной нижней губою. Собой, правда, мелкий и ей до плеча, однако настырный, горячий, веселый. Сперва подарил букет белой сирени и газовый шарфик, потом еще что-то. А к слову заметить: тот, нежно любимый, совсем ничего не дарил, даже мыла. Адела все губы проела до крови, пока не сказала смущенному Бене:

— Пойдемте гулять с вами в горы. Хотите?

Конечно же, Беня хотел. Она привела его прямо в то место, где месяц назад истекала любовью. Трава еще так и осталась примятой. Она сперва села на мятую траву, потом прилегла, опустила ресницы. И Беня, пылая, лег рядом.

Он был смущен тем, что Адела оказалась не девушкой, и все поведенье ее, отчаянное, с немалою долей брезгливости, злости, его оттолкнуло, но тело понравилось. Белее сметаны. Куда ни посмотришь: колечки и кудри, пушок ярко-черный, жемчужинки пота. Лежит на траве, как картина в музее.

Спускаясь с горы, она, кажется, плакала. Прощаясь, на Беню и не посмотрела. А через две недели брат, который по-прежнему жил в Москве, но уже по другому адресу и был очень счастлив в своей этой новой любви, новом браке, вдруг получил дикую телеграмму от матери: «Сестра отравилась жива ждет ребенка что делать целую».

Брат скомкал дикую телеграмму. Потом опомнился, расправил измятый листок и протянул его жене.

— Убью, — сказал брат молодым своим басом. — Позор на весь город.

— Пусть женится лучше, — вздохнула жена. — У них же ребенок родится, подумай!

От этого брат покраснел еще гуще.

Через двое суток он приехал в родной город. С вокзала явился домой. Мать припала к его груди; отчим обнял его через материнскую голову, левая щека у него мелко задрожала.

— Она сейчас где? — спросил сразу брат.

— Лежит третий день. И обедать не стала.

Брат вошел в комнату, где она лежала спиной к нему и лицом к стене, завернутая в простыню, как египетская мумия: на улице было почти тридцать градусов жары.

— Адя! — произнес брат.

Она махнула рукой, чтобы он ушел.

— Зачем ты поела коробку со спичками? — спросил ее брат.

— Зачем я поела? — грубо ответила она и рывком села на кровати, выставила свое горящее, с изломанными бровями лицо. — А что еще делать? Я жить не хочу.

— Чей это ребенок? — спросил ее брат.

Адела низко опустила голову. Несчастный ребенок мог быть чьим угодно: и Бенин, и этого, с командировки.

— Чей? Бенин, конечно, — ответила она.

— Тогда вы поженитесь, — строго сказал брат.

Она вскочила и, зажав рот рукой, выбежала из комнаты. Ее долго не было. Рокочущий звук шел откуда-то снизу, как будто Адела забилась под землю.

— Вот каждый раз так, — всхлипнула мать. — Как только напомню о Бене, так рвота. Несчастная девочка. Господи Боже!

— Где Беня работает? — спросил брат.

Мать объяснила, где работает и как туда проехать. Адела вошла, бледная, с застывшим страданием в мокрых глазах. Брат вздрогнул всем телом: глаза не обманут. Он умылся и надел чистую рубашку. На раскаленном трамвае доехал до конторы, где крутолобый Беня работал бухгалтером. Дождался, пока закончился рабочий день. Потом подошел к Бене так близко, что перемешались дыханья: тяжелое — брата и быстрое — Бени.

— Ты помнишь меня? — спросил он.

— Помню, Лейбл. Ты был меня старше, когда мы учились.

— А я и сейчас тебя старше. И я тебя, Беня, убью: ты подлец.

— За что ты убьешь меня, Лейбл?

— А ты что, не знаешь?

— Не знаю, — сказал Беня и опустил лоб, ставший белым, как вафельное полотенце.

— Она ждет ребенка! — стыдясь даже облака в небе, сказал ему Лейбл.

— А я здесь при чем?

— А кто же при чем?

— Лейбл, — тихо сказал Беня, — давай немного отойдем, и я тебе скажу всё, как было. Я у твоей сестры не первый, Лейбл.

Брат оттолкнул его, но Беня не упал, только побелел еще больше.

— Я не говорю, что этот ребенок не мой. Он, конечно, может быть, и мой ребенок, но может быть, и нет. И что мне тогда?

— Ты женишься, Беня? — спросил его брат.

— Но не потому, что я испугался тебя, Лейбл. — И маленький крепкий Беня привстал на носках, чтобы сравняться ростом с высоким братом Аделы. — Я женюсь потому, что это *может быть* мой ребенок. Мы этого никогда не узнаем. Ни ты и ни я. Я женюсь.

И сразу же отвернулся, зашагал прочь. Лейбл посмотрел ему вслед, и собственное счастье, ждущее его в Москве, вдруг так обожгло изнутри ему душу, что он чуть не вскрикнул.

Свадьба была не просто скромной, ее — этой свадьбы — почти даже не было. Близкие люди посидели за столом, пообедали вкусно и разошлись: больно было смотреть на то, как Адела ненавидит своего мужа. Белое платье обтягивало ее огромную грудь и слегка выпирающий живот, лоб под черными тяжелыми волосами был мокрым от пота. Она вытирала лицо надушенным носовым платком, потом складывала этот платок во много раз и внимательно смотрела на него, как будто платок вот-вот заговорит.

В двенадцать пошли, легли спать. Беня погасил лампу и вытянулся у стенки, на которой висел красивый ковер, помнивший времена Австро-Венгерской империи. Адела, не снявшая белого платья, лежала с ним рядом.

— Аделочка, — попросил Беня, — ты лучше разденься. Помнешь свое платье.

— Иди лучше к черту! — громким шепотом ответила Адела. — Глаза бы мои на тебя не смотрели!

Беня отвернулся от нее. Рыдание стало ломить ему горло и всю его грудь под майкой, пропитанной потом, поэтому он сжался под одеялом и замер, стараясь почти не дышать.

Семь месяцев до родов они жили в одной комнате, ели за одним столом и спали на одной кровати. Адела клала между ними большую пухлую подушку, чтобы горячим своим телом Беня случайно не дотронулся до нее во сне. Один раз утром он почувствовал ее взгляд на своих ногах. Огромная, вот-вот готовая родить, Адела сидела на постели и, отвернув край одеяла, внимательно разглядывала пальцы его маленьких ног, слегка заштрихованные темными волосками.

— Нельзя так, — не оборачиваясь, сказала она. — Я видеть тебя не могу. Спи лучше в носках.

И, обернувшись, задрожала изломанными своими бровями и руки стиснула на груди так, что побелели костяшки:

— Ну, я умоляю! — И вся затряслась. — Я прошу тебя, Беня! Спи лучше в носках.

Он стал спать в носках.

Ночью с первого на второе апреля на земле неожиданно потеплело, и птицы, которые прятались в небесной вышине, вдруг громко запели на голых деревьях. Беня увидел во сне, что мама будит его для того, чтобы вести в гимназию, а он прячется от ее мокрой руки под одеяло и знает, что еще немного, и мама принесет из кухни ковшик с холодной водой и выльет всю воду на Бенину голову. Так оно и случилось. От воды он проснулся, вскочил, ничего не понимая, и тут только вспомнил, что мать умерла. И сразу увидел огромную женщину, лежащую рядом с ним на постели, из тела которой лилось что-то на пол, в то время как сама женщина выгибалась наподобие удава или какого-то другого редкого зоологического существа.

— Но я не хочу! — И рвала свои косы. — Рожать не хочу! Не хочу! Убирайся!

Беня под проливным дождем побежал в больницу, и через полтора часа Аделу забрала машина «Скорой помощи». Беня схватил попутку и помчался следом. Сидя в приемном покое, где отвратительно пахло хлоркой и нянечка пила чай с сухарями, обмакивая их в чашку и потом дуя на размокший сухарь, как будто бы им можно было обжечься, он со страхом прислушивался к стонам и крикам, доносящимся из родильного отделения, пытаясь понять, не кричит ли Адела, но все эти крики и стоны смешались в такой адский звук — один, неделимый и дикий, — что Беня подумал: а вдруг так у всех? Вдруг все так живут, ненавидя друг друга, и спят ночью тоже в носках или в брюках?

Адела не кричала. Она испытывала жгучее наслаждение от того, чтобы, стиснув зубы и до крови раскусывая нижнюю губу, себе не позволить ни крика, ни стона. Адела молчала, хотя из вытаращенных от боли глаз ее потоком лились слезы, и старшая акушерка, слегка удивленная такой терпеливостью, несколько раз отирала ее лицо влажным полотенцем. И только когда этот самый ребенок, которого она боялась целых девять месяцев, как можно бояться грозы или смерти, раздвигая ее тело и разрывая его, начал проталкиваться на волю, она закричала так страшно и хрипло, что врач подошел к ней и стал помогать.

— Да что я без вас, что ли, доктор, не справлюсь? — спросила его акушерка с обидой.

Потом стало тихо. Адела ждала.

— Ну, вот тебе: девка! — сказал потный доктор.

Младенца поднесли к самому ее лицу.

— Хорошая девочка. Чистая, видишь? У нас кесарята такими бывают. А эта — гляди! Как не мучилась...

Адела взглянула на девочку. Отвращение и ужас исказили ее лицо. Акушерка протягивала ей туго спеленутого Беню с его крутым лбом, его носом и этой немного как будто отдельной, как будто приклеенной нижней губою.

— Хо-ро-о-ошая девочка! — повторила акушерка, очевидно, удивляясь тому, что молодая мать не ахает и не делает ни малейшей попытки прижать к себе младенца. — Не нравится, что ли, мамаша? Обратно засунуть?

Ярко накрашенным ногтем мизинца «мамаша» дотронулась до морщинистого младенческого лба, провела наискосок, как будто хотела царапнуть.

— Горячая! — вздрогнула она. — Смотрите! Наверное, температура!

— Нету никакой температуры, — пропела акушерка. — Мы мертвых — тех, правда, совсем холодышек вытаскиваем. А эта — живая, должна быть горяченькой!

— Дайте мне! — свирепо оборвала Адела. — У вас тут такой дикий холод в палатах, детей нам уморите!

Потом она крепко заснула. Во сне увидела себя, все еще беременную; живот ее был прозрачным, как хрусталь, и там, в животе, крепко спал этот Беня, с его оттопыренной влажной губою.

— Ну, дрыхнуть-то хватит! — сказал грубый голос над ухом. — Встань, ручки умой, волосики расчеши, кормить сейчас будешь!

С трудом переставляя отечные ноги, Адела добрела до уборной, где никого не было, кроме лохматой, жадно курящей в рукав женщины лет сорока пяти с темными пятнами выступившего на халате молока.

— Когда родила? — спросила она у Аделы.

— Недавно, — надменно сказала Адела. — И вы на меня не курите.

— Да я на тебя и чихать не желаю! — вспыхнула лохматая. — Скажите, принцесса какая!

Адела подавила в себе острое желание изо всей силы ударить ее по лицу и, опустив глаза, вышла.

В палате, где, кроме Аделы, лежало еще шестеро — пятеро только что родивших и одна после операции на внутренних женских органах, — пахло сладковатым потом и слабым, едва уловимым запахом младенческих затылков, напоминающим запах сирени после дождя.

Адела высвободила из халата огромную грудь с ярко-чернильным соском.

— Держи, не вырони! — сказала медсестра и на руки ей положила младенца.

Дочь, еще безымянная, туго спеленутая, приоткрыла белесые глаза и мутно взглянула на мать. Адела почувствовала страх: взгляд был похожим на тот, который она однажды поймала у Бени, когда они молча лежали в траве и она изо всех сил вдруг оттолкнула его. Беня посмотрел на нее сквозь мутную пленку, затянувшую зрачки, и мыча, как теленок, потянулся к ней, заскользил холодными руками по ее животу, и видно было, что он ничего не соображает, ничего не видит и хочет сейчас одного: войти в ее тело, а после — хоть смерть;

и, стиснув зубы, она отчаянно, с отвращением подчинилась, опрокинулась навзничь, чтоб только не видеть белесого взгляда.

Сейчас вместо Бени был этот младенец. Адела втолкнула чернильный сосок в его очень маленький рот, и тут же душа ее стала гореть, как будто на хворост плеснули бензином. Шелковое поскрипывание, с которым младенец вытягивал из ее груди жалкое, светло-желтое подобие молока, тихое дыхание, которое обдавало Аделу теплом всякий раз, когда это странное существо слегка приотрывалось, вздыхало старательно своими неумелыми губами и снова обреченно приникало к соску, — все это было настолько новым и настолько сильно требовало от нее чего-то, что поначалу Адела растерялась: она почувствовала себя в ловушке, опять — еще хуже, чем в этом подвале, где пахло проросшей картошкой и пылью. Ей захотелось вырваться из цепких младенческих губ, но — некуда. Младенец был всюду, везде. Не только здесь, в этой огромной палате, где чмокали ртами другие младенцы; он был до сих пор в грузном теле Аделы, внутри ее мозга, ее живота, и он тяжело налегал ей на сердце, хотя между сердцем ее и губами младенца есть грудь и есть множество ребер.

Адела подняла глаза, чтобы посмотреть, как кормят другие, но ни на одном из этих простодушных лиц не было ни боли, ни растерянности: все ворковали над неподвижными птенцами, закатывали неяркие свои глаза, заводили их под самые лбы, и щурили, и умиленно моргали. Медсестра с длинной каталкой, неприятно напоминающей катафалк, поскольку клеенка на этой каталке была ярко-черной и очень пахучей, начала отбирать новорожденных у матерей и укладывать их рядком, желая скорее свезти в отделенье и там передать в посторонние руки. Ей тоже хотелось домой, к своим деткам.

— Не дам! — вдруг сказала Адела свирепо. — Она еще ест у меня. Подождите!

— Да что ей там есть? — удивилась сестра. — Там нет ничего! Еще молоко не пришло, что там есть-то?

— Оно, может, к вам не пришло! — отрубила Адела. — Сказала: не дам! И не дам! Пусть доест.

Медсестра хотела было вспылить, накричать, но вдруг почему-то смолчала. Адела, сидящая на кровати, с туго заплетенной косой, издали похожей на толстую змею, живущую где-то в далекой пустыне, с большим, очень ярким и белым лицом, круглыми белыми руками прижимающая к голой груди своей, блестящей, как парус, от сильного солнца, внезапно упавшего прямо в палату, безмолвную дочь, очень уж выделялась. И хотя медсестра, спешащая домой и раздраженная, привыкла к любым молодым матерям, кормящим своих дочерей с сыновьями, и все они были друг другу подобны; хотя медсестра привыкла ко всем и всему (и даже тогда, когда одна простая молдавская женщина вдруг родила совершенно черного, чернее, чем уголь на шахте, младенца, и люди вокруг ужаснулись; одна медсестра оставалась спокойной и так же катала на скользкой клеенке чужое дитя не молдавского вида, как всех остальных, белокурых и красных), но сейчас, взглянув на большую, разгоряченную и разгневанную Аделу, она промолчала и даже смутилась.

176

Через четыре дня Аделу и дочь ее, по-прежнему безымянную, тихую, выписали из больницы. О, как она знала, *кто* там ее ждет! Как чувствовала она — сквозь этот весенний, пьяный от испарений воздух, сквозь жилы деревьев, смущенно и радостно помолодевших от острой и нежной, слегка синеватой от близкого неба листвы, сквозь равнодушные облака, проплывающие низко над городом и задевающие за его флюгеры своими пухлыми, с темными впадинами, локтями, сквозь всю эту жизнь и сквозь всё на земле, — как чувствовала она этого незначительного, никому в мире не интересного человека! Отца ее дочери, Беню Скурковича.

А он ее ждал.

Беня Скуркович не помнил, чтобы он когда-нибудь еще так волновался, как в это утро. Встав после бессонной ночи, счастливый и полный сил, которые с сегодняшнего дня должны были быть без остатка отданы его красавице-жене и маленькой новорожденной дочке, он долго плескался под краном на кухне, потом, невзирая на утренний холод, нагрел ведро воды и чисто — до скрипа — вымылся на дворе, потом долго брился и даже порезался, потом надушился, потом приоделся...

В половине двенадцатого, когда золотое, с вишневым отливом, созревшее для обожания солнце выплыло из-за облака и свесило пышную светлую голову, внимательно глядя на Бенину радость, с огромным букетом цветов в свежей «Правде» Беня стоял на газоне у больницы и ждал их: жену свою с дочерью. Держа его под руку, рядом стояла сестра его матери, Бенина тетка.

Адела, прекрасная, очень массивная женщина, вышла из родильного отделения. В руках у нее был младенец. Рядом семенила медсестра с тем цветом лица, который встречается у людей, страдающих сердечной недостаточностью. Дыханье ее было частым, неровным.

— Важнее всего, чтоб почаще рыгала! — задыхаясь, внушала медсестра. — Покушает — сразу к себе на живот, и жди, как срыгнет.

Адела кивнула и в эту минуту увидела Беню и тетку. Она приоткрыла рот и так же, как эта дотошная медсестра, часто и неровно задышала, а крылья красивого нежного носа покрылись вдруг сильной испариной.

— Аделочка! — пискнула тетка и побежала к ней, забыв про возраст.

Адела успела заметить, что на тетке новые белые босоножки с узкими и тесными перепонками. Бежала, как бегают гуси: вразвалку.

— Ну, дай поглядеть! Дай скорей! Ах ты, внучечка!

Медсестра откинула байковое одеяльце, и тетка ударилась в слезы.

— Ой, Господи Боже! Ой, вылитый Бенчик! Да ты ж моя деточка, мой ангелочек!

Адела молчала, потом долго терла глаза свои краем тяжелой ладони.

Говорят, что все несчастливые семьи несчастливы по-своему. Не верьте. Везде все одно. Что рай не бывает похожим на ад — доказывать нечего: разные вещи. Но вот утверждать, что чем стыть во льду, легче крутиться на угольях, — это нелепость!

Написано в книге:

«...и грешникам место уготовано: прелютые муки, разноличные. Где ворам, где татям, где разбойникам. А где пияницам, где корчевницам, где блудницам, душегубницам. А блудницы пойдут во вечный огонь. А тати пойдут в великий страх. Разбойники пойдут в грозу лютую. А чародеи пойдут в тяжкий смрад. И ясти их будут змеи лютые. Сребролюбцам место — неусыпный червь. А убийцам будет скрежет зубный, а пияницы — в смолу горячую. Смехотворцы и глумословцы — на вечный плач. И всякому будет по делам его».

Какие слова-то! Прочтешь: не забудешь.

В пристройке, которую молодая семья Бени Скурковича занимала целиком, что было нечастым везеньем (и кухня большая, и новые окна!), — царил чистый ад. Горели в огне и Адела, и Беня, и их безответная дочка, какую Адела назло очень робкому Бене, просившему, чтобы ребенка назвали в честь мамы-покойницы Дворой, придумала странное имя — Виола, и девочка стала Виолой.

В косынке холодного синего цвета, в коротенькой кофте и юбке в горошек, Адела с утра уходила на рынок с ребенком в коляске. Хвалилась. Смотрите! Трех месяцев нет, а почти что садится. Прибавила в весе, аж врач удивился. А как не прибавить? Дочка давилась жирным материнским молоком, рвота с кислым запахом того же молока, уже свернувшегося, заливала обеих, на ковре с лиловыми цветами не отстирывались присохшие разводы. Адела бросала младенца на кресло, мокрой тряпкой подтирала пол, лицо умывала водой из-под крана и вновь приступала к кормленью. Большими красивыми пальцами сжимала горячие детские щеки, вставляла сосок в вялый рот и давила. Ребенок был огненно-красным, хрипел. Над ним возвышались тяжелые груди — почти как вершины Тибета с Казбеком. Тетка не выдерживала пронзительного младенческого крика, выскакивала, растрепанная и жалкая, из своей комнаты:

— Оставь, говорю тебе! Ведь захлебнется!

— Пошли вон отсюда! — отвечала Адела с таким наслажденьем, как будто бы вопль опостылевшей тетки ей был долгожданной и сладкой наградой.

Тетка хваталась за голову, пряталась. Адела отнимала ребенка от груди:

— Ну, вот и поела! А то не хотела... А мама ведь знает, что надо покушать! А как же не кушать, раз мама велела?

Потом она туго-натуго перепеленывала Виолу и, прижав к своему лицу живой горячий сверток, осыпала его поцелуями.

— А вот наши ручки! А вот наши ножки! А где наши губки? А где наши глазки?

Затравленными глазками дочь смотрела на развеселившуюся Аделу.

— А кто это плакал? — Та не унималась. — Вот мама Виолочку — р-раз, д-два и — в ямку!

Подкидывала сверток обеими руками и ловко ловила у самого пола.

Но были и страшные дни. Адела спала на кровати, а Беня рядом на раскладушке. В полночь Виолочку нужно было кормить. И то ли луна так безумно светила в угрюмое лицо молодой матери, то ли ночные совы кричали друг другу: «Прости-и-и! Прости-и-и!» — и этим печалили томное сердце, но только Адела вдруг словно бы вспоминала о чем-то и, прижав младенца к обнаженной груди, переводила расширенные страхом глаза свои с беззаботного Бени, который во сне обнимался с подушкой, на личико дочки, сосавшей ее молоко, и вдруг дикая злоба подступала к горлу кормящей матери, и она, закусив полную губу, вскакивала с кровати и начинала толкать мужа в плечо:

— Вставай, просыпайся, подонок!

Ошарашенный, не ждавший упреков, Беня Скуркович садился на раскладушке и мотал рано полысевшей большой головой.

— Ах, я ненавижу тебя! — громко и задушенно стонала Адела, и судорожное рыдание начинало колотить его. — За что эта мука? За что, люди добрые?

Она стонала и плакала так безутешно, словно стояла на площади, окруженная добрыми людьми, с жалостью внимавшими ее горю, и им она, добрым, рассказывала все с самого начала: как сильно любила мерзавца, а он оказался женатым, и как отдалась она потному Бене с одной только целью: унизить мерзавца, и как он ей сделал ребенка, тот Беня, и как она съела все спички в коробке, а мать отпоила ее молоком и вызвала брата из самой столицы... А этот ребенок... Да чтоб ему сдохнуть! Зачем ей уродка, всей мордою в Беню?

— Адела, Аделочка! — в ужасе вскрикивал Беня, протягивая к ней короткие руки, покрытые нежными рыжеватыми завитками.

— Уйди с глаз моих! Я сейчас удавлюсь!

Она бросала ребенка на кресло, дочь начинала икать, потом плакать, бедный отец делал неуклюжую попытку заслонить ее собою, Адела отпихивала его, рыданье ее вдруг сменялось на хохот:

— А, хочешь кормить! Ну, корми, если хочешь! А я уезжаю! С меня вас всех хватит!

Она подскакивала к шкафу и рывком отворяла его: платьица и шарфики, которые Беня успел купить ей за время короткого их несчастливого брака, взлетали на воздух, как куры с насеста.

— Адела! Аделочка! Я умоляю!

Беня тоже плакал и, как это делают мужчины, не отирал слез руками, а втягивал их внутрь рта и проглатывал.

— Добился, подонок? — хохотала Адела, продолжая выбрасывать вещи из семейного шкафа. — Добился меня? Ну и как? Не жалеешь?

Бледная как смерть тетка вырастала на пороге, торопливо заплетая жидкую кудрявую косичку.

— Воды ей, водички... — бормотала она.

— Уйди с глаз моих, тварь! — твердо выговаривая слово «тварь», приказывала Адела мелкой дрожью дрожавшему Бене. — Чтоб я до утра твоей морды не видела!

Беня торопливо натягивал брюки, на майку набрасывал лыжную куртку и в тапочках на босу ногу выбегал на улицу. Луна высоко в облаках начинала гримасничать, глаза ее вдруг голубели, добрели. А совы кричали всё громче и громче, и люди за темными окнами спали, никто не выбрасывал вещи из шкафа, никто не кричал, как кричала Адела. Крест-накрест обхватив себя короткими руками, Беня торопливо шел по улице, шаркая разношенными тапочками. Страх гнал его вдоль трамвайной линии, серебристо поблескивающей в темноте, как поблескивает ручей, журча между темными травами; потом он сворачивал в переулок и там наконец останавливался, прижимался пылающим лбом к стене чужого дома и плакал безудержно, долго и горько.

И так прошли целых три года. Летом 1955-го, когда несмолкаемо ныли дожди, долины размякли и листья от влаги свернулись в комочки, в город приехала труппа Петрозаводской оперетты. Адела к этому времени окончила музыкальное училище по классу вокала, но петь было негде и незачем: работала в детском саду музыкальным работником и там — при себе — и растила Виолу. Домой приходила в пять, а то и позже, заплаканного ребенка тащила за руку — Виолочка всхлипывала по привычке: ее то лупили, а то целовали, — с грохотом ставила на кухонный стол судки с едой, не доеденной детками, а то и припрятанной (дома пусть кормят!), сбрасывала туфли с отекших ног, с шумом расстегивала платье и тут же кидала его прямо на пол, и, вытащив шпильки из густых, влажных и круто завившихся за день волос, сажала заплаканную Виолочку на свои беломраморные раздвинутые колени.

Виолочка задыхалась от сладкого терпкого запаха пота, сквозящего из материнских подмышек, от запаха пудры, духов и особого, напоминающего запах разогретой на солнце крапивы, запаха материнского рта, раскрытого жадно, как у людоедов. Мать ставила перед ней огромную тарелку манной каши и клала в нее очень много варенья. Из белой каша становилась ярко-красной, почти даже черной и загустевала. Виолочка знала, что сейчас ее будут кормить, и липкий холодный пот покрывал детскую спинку — особенно там, где лопатки и крылья.

— Ешь, дрянь! — своим прекрасным, звучным голосом говорила мать. — Ешь, гадина!

И в плотно сомкнутые губы дочери начинала проталкивать полную ложку окровавленного питания. Виола давилась, каша растекалась по ее груди, красные сгустки падали на материнские ноги. Адела подбирала эти сгустки и размазывала их по дочкиному лицу.

— Пока всё не съешь, ты со стула не встанешь!

Тетка, почти до конца растаявшая от ежедневных слез, тихо и скорбно поднимала с пола мокрое от пота платье Аделы, железные шпильки, чулки, смотрела с тоской на терзанья и пытки. Если по случайности обходилось без рвоты, Адела отставляла дочиста вылизанную тарелку, умывала перемазанную дочь, досуха вытирала чистым вафельным полотенцем и крепко, со звоном и хрустом, ее целовала.

На представление петрозаводской оперетты «Веселая вдова» она пошла вместе со школьной подругой, еще незамужней и тускло одетой. Когда на сцене появился граф Данило во фраке с лакированно прилизанной черноволосой головой, где нитка пробора блестела, как жемчуг, и, глядя прямо на Аделу, сидевшую в третьем ряду (Беня купил самые хорошие и дорогие билеты!), запел, усмехаясь роскошной усмешкой: «Пойду к «Максиму» я...», — у Аделы перехватило дыхание. Вся жизнь ее, оказывается, принадлежала этому человеку, его белоснежным зубам и усмешке, его очень длинным и ловким ногам, его подведенным глазам и пробору, — ему одному ее целая жизнь!

В антракте она, бросив у буфета тусклую школьную подругу, прошла прямо за кулисы и, спросив у какого-то мелкого человечка, где уборная знаменитого артиста, постучала в низкую дверь.

— Минуточку, Валя! — сказал обожаемый голос.

— Какая я Валя? — оскорбленно выдохнула Адела сквозь раздувшиеся ноздри и толкнула дверь.

Тот, за которым она решила идти на край света (и добрые люди ее не осудят), стоял перед зеркалом и осторожно расправлял наклеенные усы над тонкими выразительными губами. В зеркале он увидел неправдоподобной красоты, большую, в лиловом берете женщину.

— Вы очень красиво поете! — задыхаясь, но голосом звучным, густым и прекрасным сказала вошедшая. — Я благодарна.

Граф Данило усмехнулся еще коварнее и нежнее, чем он усмехался на сцене.

— Я тоже певица, — сказала незнакомка.

— Ах, тоже! — опомнился граф и твердой скульптурной рукою пожал ее очень горячую руку.

— Скажите, вы тоже еврей? — вдруг спросила певица.

— Я? Да, я еврей, — оторопев, но чувствуя сильное волнение в груди, прошептал граф и ближе придвинулся к ней.

— Маратик! На выход! — Кто-то на бегу стукнул в дверь графа Данилы и побежал дальше.

— Я должен идти, — раздувая ноздри почти так же широко, как Адела, сказал граф и, не удержавшись, поцеловал ее вишневые губы. — Когда я увижу тебя, дорогая?

И тут же едва не упал от пощечины. Слезы брызнули из его подведенных, цвета темного ореха, с густой поволокою глаз. Щека стала бурой, и зубы, которые были под нею, заныли.

— Да как вы посмели? — прошептала незнакомка в лиловом берете. — Я вам не какая-то там проститутка! Я честная женщина, ваша коллега!

Она порывисто повернулась и сделала шаг к двери. Уборная пахла духами и потом. Граф Данило опустил глаза и увидел ее выпуклый, как у лошади, обтянутый шелком, волнующий зад. Он схватил ее за локоть и силой развернул к себе.

— Сегодня... как только закончим спектакль... — быстро сказал он. — Но только не здесь. Здесь, конечно, увидят. А где?

— Пустите меня! — вскрикнула незнакомка и вырвала локти из его цепких пальцев. — Не смейте искать меня! Вы негодяй!

— Марат! Ты заснул там? — Мелкий испуганный человечек, который объяснял Аделе, как найти артиста, просунул свой профиль в уборную. — Тебя же все ждут!

— Иду! — скрипнул зубами артист и, бросив Аделу, рванулся на сцену.

Размазывая краску по щекам, кусая свои воспаленные губы, глотая горючие слезы, Адела вернулась к подруге.

— Ой, я уж не знала, что думать! — залепетала подруга. — Ушла — и с концами! Он что, приставал?

— Ко мне? — надменно и звучно спросила Адела. — Ко мне не пристанешь! Мы просто коллеги.

Ей, судя по всему, сильно полюбилось это слово, и, поймав недоверчивый взгляд тусклой незамужней девушки, она повторила с нажимом:

— Коллеги!

Спектакль закончился ровно в четверть одиннадцатого. Вместе с толпою зрителей, обсуждавших поведение Розалинды и всех ее венских любовников, Адела с подругой оказались на улице. Дождя уже не было, ночь подступила, обволакивая людей своими запахами, успокаивая их своими мирными звездами, — и столько тепла, и любви, и желанья таила в себе эта ночь, эти вальсы, которые медленно стыли в сознанье, и так было весело всем и беспечно, что, если бы снова пришел, скажем, Гитлер, его бы, наверное, не испугались.

— Иди! — сказала Адела подруге. — Мне нужно остаться еще здесь... по делу...

— Так я подожду, если только по делу, — кротко (а может, не кротко, а очень ехидно — кто их разберет, незамужних и тусклых?) сказала подруга. — Ты делай, что нужно, а я погуляю.

— Не нужно гулять здесь, — раздувая ноздри, повторила Адела. — Тебя ждут родители.

Подруга ушла, сгорбившись, и кок нежно-серых волос надо лбом повис, как гнездо без птенцов и без самки.

Адела стояла под кроной густой, много помнившей липы — румын и австрийцев, и венских влюбленных, и красноармейцев с мандатом на обыск, — она стояла прямее, чем статуя молотобойца в московском метро или в парке культуры, не думая ни о Виоле, ни о муже, и сердце ее колотилось, как камни, которые падают вниз по ущелью.

Через полчаса граф Данило, в программе спектакля обозначенный как Вольпин Марат Моисеевич, вышел беспечно из здания театра с куском бутерброда во рту и букетом, небрежно опущенным вниз головою. Адела шагнула к нему из-под липы. Граф торопливо проглотил кусок докторской колбасы, привезенной еще из Петрозаводска.

— Я рад, что вы здесь, — щурясь и улыбаясь в темноте, бархатно сказал он, однако лицо заслонил вдруг цветами. — И как же вас звать?

— Как звать? Я Адела, — сказала Адела и вздрогнула.

— Красивое имя, — сказал граф и протянул ей руку, сильно и вкусно пахнущую недоеденным бутербродом. — Марат Моисеевич Вольпин.

Марат Моисеевич был насторожен и вежлив до крайности. Адела сверкнула глазами во тьме.

— Я бы хотел поближе познакомиться с вашим городом, — бархатно продолжал артист. — Здесь много красивого, мне говорили.

— Провинция, — хрипло ответила Адела, чувствуя, что от этого голоса у нее начинают дрожать ноги, а соски на обеих грудях становятся жаркими, как от кормления. — С Москвой не сравнить.

— Я много раз бывал в Москве, — возразил Марат Моисеевич и, придвинувшись, горячо задышал на Аделу. — В провинции тоже свое есть. Природа...

— Вы любите горы? — вдруг прямо спросила Адела

— Да, очень люблю, — прошептал граф Данило.

— Могу показать вам красивое место. Хотите сейчас?

На самом последнем, хрупко позвякивающем трамвае, который, как липа, все помнил — и венских влюбленных, и красноармейцев, — они доехали до того места, где заканчивался город и начиналась природа.

...В густой и высокой траве лежала прекрасная, белая настолько, что даже луна побледнела, как будто ей стало немного неловко своей этой ярко-оранжевой кожи, вся шелковая — шелковистей, чем травы, которых не мяла нога человека (ведь были дожди, где уж тут погуляешь!), — лежала Адела и громко стонала, рычала, кричала, хрипела, вздымалась и вновь опускалась, как делают волны, когда их то бьет диким ветром ненастья, то вдруг отпускает: плывите и смейтесь!

Графу Марату Моисеевичу Вольпину, познавшему женщин в пятнадцатилетнем возрасте и с той поры уверенному, что всё в них почти одинаково — особенно если темно и не видно, какие глаза и какие сережки, — сейчас было страшно от бездны, лежащей под ним на траве, этой белой, горячей, вскипающей, как молоко, прожигавшей все тело до боли, которую терпишь и хочешь терпеть: пусть еще прожигает.

Под утро Адела вернулась домой. Виола спала. Тетка плакала за дверью, а Беня сидел на своей раскладушке, смотрел прямо в пол, в свои рваные тапочки.

— Мы завтра разводимся, Беня, — сказала Адела. — И я уезжаю.

— А как же ребенок? — спросил ее Беня.

— Ребенок поедет со мной, — ответила Адела и, не стесняясь, начала стягивать через голову свое праздничное, но страшно измятое, мокрое платье.

— Но это ведь дочка моя, — сказал Беня.

— Ребенка тебе не отдам, — повторила Адела. — Ты даже не думай.

Тетка, которая подслушивала, не вынесла ссоры и заголосила.

— Заткнитесь! — крикнула Адела, не оборачиваясь и по-прежнему прожигая Беню своими глазами. — Ребенка разбудите!

— Уж если разбудит кто, так это ты, — прошептал Беня и, вставши на цыпочки, серый, печальный, в заношенной полосатой пижаме, с большой головою, с руками в цыплячьем и нежном пуху, подошел к своей дочке и поцеловал ее спящие глазки. — Ребенок останется здесь.

Ни слова не говоря, Адела оттолкнула тетку, которая встала на пороге и мешала ей, бросилась в кухню, где на полочке рядом с умывальником лежал бритвенный прибор ее мужа Бени Скурковича, состоящий из синего пластмассового стаканчика, безопасной бритвы и наполовину вылезшего, лохматого помазка, схватила лезвие и изо всех сил полоснула себя по руке. Кровь, обрадовавшись свободе, сперва брызнула фонтаном, потом полилась очень густо и ярко, но тут прибежали и Беня, и тетка, схватили, скрутили, связали, зажали.

Адела молчала.

Через три дня Петрозаводский театр оперетты, включая летучую мышь, веера, и шляпы, и перья, отбыл восвояси. Уехал к себе, к своим финским болотам.

Неделю Адела пролежала на кровати, отвернувшись лицом к стене и стиснув зубы. Виола ходила в сквер с тихой теткой, а папа, вернувшись с работы, кормил ее ужином. На восьмой день Адела поднялась, сама стащила с антресолей пыльный чемодан, покидала туда все свои кофточки, чулки и лиловый берет, взяла пару платьев для дочки Виолы и, дождавшись утра девятого дня, когда Беня отправился на работу, а тетка — на рынок, одной рукой схватила за воротник испуганного ребенка, вся накренилась на сторону от тяжелого чемодана в другой руке и пошла на вокзал. Там она взяла два плацкартных билета, села на поезд и через трое суток оказалась в пахнущем хвойными лесами чужом городе.

И тут наступили события. Марат Моисеевич Вольпин был вдовым, но веселым и простодушным человеком. Вдовство его было внезапным и горестным. За полгода до встречи с роковой женщиной Аделой Марат Моисеевич в одной могиле похоронил умершую родами жену свою, певицу Ажадину Ольгу Васильну, а также двухдневного сына Алешу. Ольга Васильна была на шесть с половиной лет старше Марата Моисеевича, любила его очень страстной любовью, писала ему бесконечные письма, когда он бывал на далеких гастролях, надеялась жить вместе долго — и вдруг умерла, захлебнувшись от рвоты, случившейся с ней при рождении сына. Несчастный сиротка простыл той же ночью и утром невинно и кротко скончался.

После похорон Марат Моисеевич, которого друзья и родственники поддерживали с обеих сторон под руки — поскольку он, бедный, шатался от горя, — вернулся домой после долгих поминок, устроенных в оперной студии города Петрозаводска, где до самого декрета работала ничего не подозревающая Ольга Васильна, поставил перед собою фотографический портрет покойной, на котором она — в открытом блестящем платье, с блестящими локонами и круто завернутой, как вафельная трубочка, челкой — смотрела в глаза ему с нежным упреком, налил себе водки, чокнулся с портретом, звонко стукнув о стекло полной рюмкой, и тут же поклялся покойной подруге, что будет ей верен до самого гроба. Верность в сознании Марата Моисеевича состояла исключительно в отказе от брака.

Пылкая встреча с Аделой и ночь вместе с ней на траве Буковины отнюдь ничему не мешала, поэтому, когда в четверг утром, явившись, как обычно, на репетицию в театр, Марат Моисеевич вдруг обнаружил в своей уборной смертельно бледную, готовую на всё женщину и рядом — с вытянутым от постоянного страха личиком и скорбными глазами — маленькую девочку в красном пальтишке и с плюшевым зайцем, прижатым к груди, — когда он увидел всю эту картину, душа в нем заныла, как перед атакой.

— Ну, вот, — хрипло сказала Адела. — Вот мы и приехали.

Марат Моисеевич громко проглотил слюну.

— Вы, может быть, нас и не ждали? — с вызовом спросила Адела.

Марат Моисеевич затравленно забегал глазами по потолку.

— Виола, скажи дяде: «Здравствуйте!» — приказала строгая мать своему оторопевшему ребенку.

Ребенок молчал. Глаза его быстро застлало слезами.

— Скажи дяде: «Здравствуйте!» — звонко отчеканила мать.

Ребенок раскрыл свой младенческий рот и тут же беззвучно, но горько заплакал. У Марата Моисеевича защипало в горле.

— Вот плакать не надо, — сказал он печально. — Как зайца зовут? Я уверен, что Петя!

— Как зайца зовут? — повторила Адела. — Ответь быстро дяде! Считаю до...

— Не нужно считать! — попросил Марат Моисеевич. — Ну, заяц и заяц.

Ребенок отчаянно замотал капроновым бантом:

— Его зовут Клава.

— Ах, Клава! — удивился Марат Моисеевич. — Так он, значит, девочка, что ли, твой заяц?

— Нет, Клава! — рыдая, ответил ребенок.

Марат Моисеевич опустился на корточки, достал из кармана пахнущий чужими духами носовой платок и осторожно вытер им судорожные и бледные детские щеки.

В тот день началась его новая жизнь.

Через неделю похудевший, с потухшими глазами Беня Скуркович, который всю голову сломал, раздумывая, как ему быть: броситься ли вдогонку за Аделой, или подождать, потерпеть, пока она вернется, или, напротив, совсем успокоиться, вкусить сладость этой внезапной свободы — ведь нечего прятать суровую правду: конечно, дышалось намного свободней, и не было тяжести странной в желудке, которая как наступила когда-то, когда началась мука этого брака, так не отпускала ни днем и ни ночью, — через неделю похудевший, с потухшими глазами Беня Скуркович получил страшное письмо:

Не надейся, что ты еще хотя бы один раз в жизни увидишь Виолу, — писала ему Адела быстрым бисерным почерком. — *Она по ошибке была твоей дочерью. Такое ничтожество и негодяй, как ты, который не хотел, чтобы собственный ребенок родился на свет, не заслуживает того, чтобы называться отцом. И больше ты ей не отец. Я встретила человека, который полюбил меня и понял, какие страдания принесла мне жизнь с тобой, негодяем и предателем. Виола теперь носит фамилию этого человека, он усыновил ее, и я высылаю тебе копию документа, подтверждающего усыновление. Мне нужен теперь развод. Ты все равно не сможешь помешать мне сделать то, что я сделаю, и, если нужно будет переступить через ваши трупы — твой и твоей ненаглядной тетушки, которая травила меня и мою дочь, как травят клопов и тараканов, — я переступлю через ваши трупы, потому что счастье моего ребенка дороже мне всего на свете.*

Развод можно сделать очень быстро. Для этого я должна снова приехать в проклятый город, в котором ты живешь и который я ненавижу всеми своими силами, и нас разведут в том же загсе, в котором я, неопытная дурочка, зачем-то вышла за тебя замуж. Я знаю твой предательский характер, знаю, что ты будешь мучить меня тем, что оттягиваешь наш развод, хотя ребенок тебе не нужен и ты ни разу даже не заглянул в коляску, чтобы поинтересоваться, какой там лежит ребенок; я знаю заранее, как подло ты будешь вести себя, поэтому говорю тебе сейчас: я приезжаю ровно через десять дней, то есть в воскресенье, двадцать четвертого сентября, у меня уже есть билет, а в понедельник мы с тобой пойдем в загс, и нас разведут. Я уже обо всем договорилась по телефону с начальником загса. Учти, что твои отказы и капризы не приведут ни к чему. Прощай. Твоя бывшая, оскорбленная до глубины души жена Адела.

Беня с трудом дочитал письмо, сгорбившись, добрел до кухни, бросил письмо на стол рядом с только что принесенной с базара недавно зарезанной курицей, гордая и красивая голова которой лежала на газете рядом с туловищем, и красный гребешок успел стать лиловым и сморщенным, посмотрел на эту курицу и сказал тетке:

— Она меня просто убила.

Тетка близко поднесла письмо к старым глазам, шевеля губами, прочитала его и прошептала:

— Смотри, сколько разных людей, Беня, умерли рядом. А мы всё живем.

И тогда Беня опустился на стул — хороший старый венский стул, поскольку кухня была одновременно и столовой, — положил голову на согнутые руки и зарыдал. И тетка заплакала, но с облегчением.

А на следующий день опять пришел почтальон и принес документ из районного загс. В документе было сказано, что Вениамин Абрамович Скуркович, письменно заявивший о своем отказе от отцовства по отношению к Виоле Маратовне Вольпиной, записанной в метрике о рождении под именем Виолы Вениаминовны Скуркович, больше не считается отцом Виолы Маратовны Вольпиной и освобождается от выплаты денежных обязательств.

Копия документа, заявляющего о том, что Беня не желает больше считаться отцом своей дочери Виолы Вениаминовны и согласен передать права и обязанности в отношении ее Марату Моисеевичу Вольпину, была вложена в тот же конверт. Документ был отпечатан на машинке, стояла Бенина лиловыми чернилами выведенная подпись, число и дата.

— Бог мой! — вскрикнула тетка. — Когда же ты это писал?

— Я не писал этого, — глухо пробормотал Беня. — Это подделка. Она подделала мою подпись. И это ей так не пройдет.

Через три дня он встретил на перроне Аделу, румяную, как раскрытая роза, которую и поливают усердно, и два раза в день удобряют обильно. Увидев его, Адела сразу побледнела и еще больше выпрямилась.

— Зачем ты пришел? — выдохнула она. — Я знаю дорогу до загса.

— Ты подделала мою подпись, — сказал Беня. — Это уголовное преступление.

— Послушай меня! — ответила она. — Да, верно: подделала подпись. Но знаешь ли ты, что если на меня донести, то меня заберут в тюрьму и я оттуда уже не выйду?

— Тебе там и место, — прошептал Беня.

— А что тогда будет с Виолой? — прищурившись, протянула Адела. — Виола погибнет без матери.

— Какая ты мать? — с отвращением пробормотал Беня.

— Какая я мать? — рассыпчатым эхом спросила Адела. — Я дня без нее не могу! Любого убью, кто обидит! Любого! Пускай меня рвут на клочки! Никому не отдам!

Беня поднял глаза и увидел перед собою не лицо человеческой женщины, какое бывает то лучше, то хуже — с помадой и без, подобрее, позлее, — он увидел перед собою разверзнутую бездну, которую осветила вспышка небесной молнии, и камни посыпались с воем и визгом; увидел горящий, поломанный лес с бегущим от гибели стадом бизонов, увидел развалины города Трои, которые видел вчера в кинофильме, и только высокие брови и зубы с застрявшим в них бисером черного мака (Адела дорогою съела две сайки) напомнили Бене, что это не бездна, не Троя, не буря, а все же — Адела.

Тогда Беня сдался: Адела в тюрьме, за решеткой, была бы опаснее, чем на свободе, и участь Виолы, которую мать никому не уступит — скорее умрет и ребенка уморит, — решила все дело.

После отъезда Аделы в город Петрозаводск вечером того дня, когда женщина с большими, усталыми пальцами, на одном из которых так глубоко вросло в мякоть обручальное кольцо, что даже и ноготь пожух и скривился, протянула им официальное подтверждение, что отныне они уже не муж и жена, а просто весьма посторонние люди, — вечером этого длинного, зачем-то пронзенного солнцем и светом прозрачного, пышного дня разведенный, свободный как ветер и грустный мужчина Вениамин Абрамович Скуркович, вернувшись домой, первым делом подошел к кроватке своей маленькой дочери Виолы и долго смотрел в опустевшее лоно холодной и прибранной этой кроватки, и все вспоминал, где чернела косичка, а где розовел ее крохотный локоть и где — на каком расстоянье от пола — свисала горячая, круглая пятка...

Оставим, однако, на время Вениамина Абрамовича и вернемся к занявшему его место в бесхитростной жизни ребенка Марату Моисеевичу Вольпину. Всего только несколько дней назад, приходя домой после спектакля, усталый, но довольный Марат Моисеевич (если он, конечно, возвращался один) снимал с себя всё до трусов, выпивал с удовольствием рюмку армянского коньяку, стирал осторожно с висков, с подбородка остатки уже неуместного грима, заваливался на кровать и спал богатырским и радостным сном. Он был простым парнем, а жизнь таких любит.

С приездом красивой и шумной Аделы все вдруг изменилось. Теперь в этой комнате их было трое: Адела, ребенок и он. Первое время он не мог привыкнуть к тому, что вечером нужно отчитаться перед посторонней женщиной за каждую минуту проведенного без нее времени. Опаздывать было нельзя. Медовым, с красивым молдавским акцентом, чуть лживым, но очень старательным голосом Адела звонила в театр и всем говорила, что это жена и нельзя ли Марата по срочному делу... Семейному, да... На секунду буквально.

Секунд набиралось часа на четыре.

Между тем Адела уже прошла первое прослушивание в театр оперетты — и голос понравился, да и не один только голос: богиня стояла на сцене, волосы ее едва не доставали до пола, а губы были подобны спелым вишням, из которых вместе с соком текли музыкальные чудные звуки, — она прошла первое прослушивание, и бедный Марат, граф Данило, уже понимал, что Аделу возьмут, тогда она будет с ним рядом все время, всегда будет рядом, до гроба, до смерти!

И дома, в квартире, гулял ураган: все было разметано, все полыхало. На второй день, вернувшись со спектакля, Марат Моисеевич не узнал своего скромного жилища: мебель была переставлена, окна вымыты до блеска, одна из стен перекрашена в темно-бордовый цвет, и прямо на темно-бордовом была фотография: тоже Адела, однако в открытом гипюровом платье, с закинутым к небу лицом и с руками, сжимавшими веер. Богиня, что ни говорите! Богиня.

Ночами Марату Моисеевичу почти не удавалось поспать: ночами она была даже не рядом, она была в нем — нет, вернее, он в ней, — короче: ему даже стало казаться, что эти вишневые спелые губы уже не ее, а — его, и под утро он так же растягивал их в полудреме и так же облизывал их, как Адела.

Кошмар был, однако, с ребенком, с Виолой. Марат Моисеевич вскоре заметил, что бледная эта, кудрявая крошка, которая до недавнего времени не расставалась с соской, а когда у нее насильно отобрали эту соску, тихонько сосала свой собственный пальчик, боится Аделу до смерти. Животный ужас наполнял детские глаза, внешние уголки которых были немного оттянуты вниз, отчего глаза становились похожими на два полумесяца. Ужас наполнял их не только в присутствии матери, но даже от голоса, даже от звука больших материнских шагов, от шуршанья, с которым Адела снимала свой плащик, от скрипа ботинок ее по паркету!

Через месяц Виолочка заболела крупозным воспалением легких. Марат Моисеевич не узнавал жены своей в этой убитой страхом женщине, которая не спала ни одной ночи, а если дремала слегка, то только в ногах у больного ребенка, и щупала лобик ребенка ладонью, и вновь прикрывала его полотенцем с наколотым льдом, ибо детка горела... Она горела почти неделю, за которую Адела превратилась в тень: под черными глазами легли глубокие тени, волосы она не расчесывала, и они стали неотличимы от войлока, пригодного и для ковров, и для шляпок, но, главное, валенок — взрослых и детских.

— Адела! — шептал иногда удивленный, смущенный и робкий Марат Моисеич. — Поди подремли!

— Зачем? — кротко спрашивала Адела и поднимала на него некогда ярко-черные, а теперь выцветшие глаза. — Никто мне не нужен. Помрет моя дочка, и я вместе с нею. Схоронишь нас вместе, ты это умеешь!

Виолочка, однако, не померла, но, будучи буквально из могилы вытащена сильными материнскими руками, опять стала жить, как все прочие дети.

— Ешь, сволочь! — слышал Марат Моисеевич, поднимаясь по лестнице своего многоквартирного дома усталыми ногами, которыми час лишь назад он плясал на премьере цыганские танцы. — Ешь, дрянь! Ешь, Скуркович проклятый! Скорей бы ты сдохла!

Медовый и сладостный голос Аделы с ее неизбывным молдавским акцентом гремел, как гремит горный Терек; но Терек грохочет в горах, и к нему там привыкли, а здесь, в этом доме, где жили артисты, и знали друг друга, и изнемогали то от любопытства, а то и от прочих страстей человечьих, — кричать так ужасно, ничуть не стесняясь! Сгорбленный и со спины слегка даже похожий на разведенного, зато проживавшего тихо и скромно Скурковича Беню, Марат Моисеич осторожно открывал дверь своим ключом и на цыпочках заходил в прихожую.

Страшная картина открывалась его глазам. Буквально: сражение, Чудская битва. На широко расставленных мощных и круглых коленях Аделы, вся выгнувшись, красная — как обварили, — хрипела, икала Виола, закатывая глаза и уворачиваясь от ложки, наполненной жирной дымящейся кашей, а рядом была банка с красным вареньем, и то же варенье — как кровь — на коленях суровой Аделы, на щечках Виолы, и пол под столом весь заляпан вареньем.

— Она больше кушать не хочет, — миролюбиво произносил Марат Моисеевич. — Нельзя заставлять, если нет аппетиту.

— Нельзя заставлять? — изумлялась Адела, резко поворачиваясь к нему вместе со стулом, коленями и согнутым наполовину ребенком. — Тогда пусть подохнет! Я не отвечаю!

Марат Моисеич шел в кухню, зажав себе уши, чтоб только не слышать:

— Ешь, сволочь! Проклятый Скуркович! Скорей бы ты сдохла! Ешь, дрянь! Ты отсюда не выйдешь!

Когда страсти успокаивались, домывались остатки детской рвоты и комнату проветривали от сильного запаха этой рвоты, Адела со свеженакрашенными губами, в белой шелковой комбинации, какую купила у примы в театре, а та — у гримерши (а вот про гримершу никто и не знает, следы затерялись), опять подступала к Марату; богиня, она обвивала Марата руками, и он задыхался, и он уступал ей...

В труппу Петрозаводского театра оперетты Аделу Вольпину взяли, но главные роли ей не уступили, чем вызвали гнев, очень даже понятный. Несмотря на свое сильно располневшее тело, Адела чудесно плясала и пела, а веером так колдовала на сцене, как будто бы и не сидела в подвале, борщей не варила и горя не знала. Конечно, могли бы дать роли получше. Директор театра, человек женатый, седой и в летах — давно, кстати, дед, даже, может быть, прадед! — однажды сказал грубовато и нежно:

— Пойдем побалуемся, а? Что ты смотришь?

Чудо спасло его от пощечины. И ангел в лице балеринки, зачем-то впорхнувшей во тьму за кулисы, где толстый директор потел и дымился от разных бессовестных поползновений, был послан Аделе сдержать ее руку и этим спасти старика от позора.

Но были и муки другие, покруче. Работа, в конце концов, — только работа, а вот, скажем, ревность? Да, ревность! Что, страшно? Ревность — это, кстати сказать, такая вещь, от которой даже здравомыслящий человек может на какое-то время потерять рассудок. И люди теряют. Отелло Отеллой, но он был военным, родился в провинции, черный... Короче: с Отелло все ясно. А вот вы возьмите, к примеру, театр. В театре бывает намного труднее. И в литературе — намного труднее. И в дачном поселке. А, скажем, на БАМе? На БАМе что, просто? Нисколько не просто. Поехали люди туда за туманом, и — вот вам туман. Хоть половником ешьте.

Адела пришла в Петрозаводский театр оперетты не для того, чтобы восхищаться своим мужем Маратом Моисеевичем Вольпиным из кресел партера. Не для того, чтобы на ее глазах Марат Моисеевич Вольпин обнимался с актрисой Зубаровой, хотя и по роли ему полагалось обнять, запрокинуть (а ей поболтать в это время ногою) — и так замереть, пока им станут хлопать. Неважно, что там полагалось по роли! Важно, что дважды разведенная Зубарова пылала всей розовой жилистой шеей, когда он ее выпускал из объятий! Адела терпела, пока ей терпелось, но силы иссякли, и она пошла прямо в гримерную к актрисе Зубаровой, которая как раз готовилась к выходу на сцену.

— Отделаю — мама тебя не узнает, — сказала Адела и ноздри раздула.

А когда Зубарова — женщина не самая тихая на свете, с прямыми ресницами рыжего цвета — вскочила из-за своего столика, рассыпав стеклянную баночку с пудрой, и обеими руками, белыми от этой пудры, стала махать перед лицом Аделы и громко шипеть: «Вон пошла, хулиганка!», Адела, не говоря больше ни слова, скрутила Зубаровой белые руки, макнула ее головой прямо в пудру, как сырник макают в муку, и сказала:

— Тебе объяснили. А дальше — как знаешь.

И вышла. И хлопнула дверью.

С каждым днем маленькая кудрявая Виолочка все больше привязывалась к своему новому папе Марату Моисеевичу, провела с ним очень счастливое время на первомайской демонстрации трудящихся (Адела болела месячными недомоганиями, да и, кроме того, у нее с тридцать девятого года сложилось подозрительное отношение ко всем торжествам и парадам вождей, ко всем русским лозунгам и достиженьям); и, радуясь, что мама осталась дома, сидя у папы на плечах, Виола подряд съела два эскимо и очень победно смотрела на землю. И папа был весел. С ним рядом все время крутились блондинки и все поправляли на папочке галстук.

К сожалению, именно вскоре после этой первомайской демонстрации, запомнившейся Виоле как самое чистое, полное счастье, у Аделы Вольпиной начались серьезные конфликты с дирекцией, и Марату Моисеевичу предложили перебраться на постоянное местожительство в город Новосибирск, где тоже театр, но климат суровый. Тайно от всех Марат Моисеич сходил потихоньку на кладбище, купил незабудки и их посадил, полил изголовья жене и сынишке, присел на скамейку, вздохнул глубоко — и вскоре вернулся обратно к Аделе.

Жизнь в городе Новосибирске началась с того, что в женской консультации Адела узнала о своей беременности. Окаменевшая от неожиданности, не понимая еще, что же теперь будет, она открыла дверь своей новой, только что полученной квартиры, где вещи, тюки, чемоданы громоздились друг на друге и синий с цветами ковер, купленный перед самым отъездом у той же гримерши, лежал, словно луг, ненароком залитый прозрачной озерной водою.

Ребенок Виола, полученный от Скурковича в результате мести и неосмотрительности, был отдан в детсад. Тихо было в квартире. Бросив прямо на пол свое модное пальто, на ощупь, как будто слепая, Адела вошла в ванную комнату, где пахло удушливой свежею краской, до краев наполнила ванну горячей водой, залезла в нее и зажмурилась. Что же? Теперь у них будет ребенок, пускай. Марат очень любит детей. Она услышала в коридоре его шаги и крикнула сильно и страстно:

— Маратик!

Муж ее осторожно заглянул в дверь.

— У нас с тобой будет ребенок, — сказала она.

У Марата Моисеича перехватило дыхание. Вдруг вспомнилась Ольга с младенцем Алешей, и как они оба лежали в гробу, и как на младенца упала дождинка... Он опустился на колени, положил красивую голову на горячую и мокрую руку Аделы, только что вынутую из воды, и всхлипнул.

— Ах ты, дурачок! — сладко и блаженно прошептала Адела, перебирая большими, с ярко-красным маникюром пальцами его маслянистые черные кудри. — Мальчишечка будет. Сыночек. Ты что? Ты плачешь, Марат?

Бывший граф Данило замотал головой и несколько раз поцеловал ее руку. На влажном распаренном лице Аделы воцарилось торжество. Вот так теперь будет всегда. Да, всегда. Она лежит в ванне, а он на коленях. И там, в животе, червячок с ноготок... Нет, как это там?

Мальчик-с-пальчик? О Боже! Какое же счастье, покой, как легко! А Беня? Где Беня? Скажите, кто Беня? Она негромко засмеялась, за волосы приподняла опущенную голову Марата:

— Смотри, только не изменяй, мой хороший!

Марат Моисеич опять замотал головой и опять уронил ее.

— А что ты не смотришь в глаза мне, Марат? — сладко, но тревожно спросила Адела. — Ведь я говорю: ты мне не изменяй! А ты отвернулся! Ты что, изменяешь?

Муж испуганно посмотрел на нее:

— Любимая! Богом клянусь...

Она с досадой перебила его:

— Евреям, Марат, не положено клясться. Какой ты ужасно советский, Марат! Хотя... Что уж тут... Не в Европе родился.

Марат Моисеич побледнел, несмотря на духоту.

— Я горд своей Родиной, вот что! Я горд! И дети мои будут ею горды. Виола с Алешей! Нам есть чем гордиться!

Адела шутливо плеснула на него из ладони и тяжело поднялась из воды. Теперь она стояла над ним во весь рост. Не вставая с колен, Марат Моисеевич прошептал:

— А если ты считаешь Европой место, где родилась ты, так это, Адела, такая Европа, что...

Адела выгнулась, как лебедь, и обе белоснежные руки с черным кружевом душистых волосков под мышками заломила за голову:

— *Мы* были Европой, Марат, пока *вы* не явились. Пустой у нас спор.

Она вынула из воды одну из своих беломраморных ног и пяткой потрепала Марата Моисеевича по затылку:

— Давай полотенце. И вытри меня. Мне нельзя наклоняться.

Слизывая с нижней губы вкус земляничного мыла, граф Данило почти на руках вынул из остывающей ванны эту тяжелую, всю в каплях жемчужных, всю в черных колечках, всю в нежной и скользкой несмывшейся пене высокую женщину, в теле которой, под пеной и мылом, дрожал этот птенчик.

Ночью, когда они уже засыпали и тяжелая грива ее распущенных волос заваливала половину мощной грудной клетки Марату Моисеевичу, он вдруг вспомнил о том, о чем давно собирался поговорить с нею.

— Аделочка, я коммунист, — гордо сказал Марат Моисеевич в темноту. — Я хотел бы, чтобы наши дети были коммунистами, потому что выше этого нет ничего. И нет ничего важнее, чем отдать свою жизнь за счастье угнетенного человечества. Я так их и буду воспитывать. В этом ключе. Ты согласна?

Адела глубоко вздохнула:

— Фун мэшугене гендз — мэшугене гривн...

Марат Моисеевич удивленно приподнялся на локте:

— Что ты говоришь, Адела?

— Я говорю: «От сумасшедших гусей — сумасшедшие шкварки». Так бабушка мне говорила.

— Какие еще сумасшедшие гуси? — затрясся Марат Моисеевич. — Теперь, когда у нас двое детей, к чему мне твои эти глупые штучки?

— Ну, пусть коммунисты, — миролюбиво пробормотала Адела. — Пусть хоть пионеры! По мне, лишь бы были здоровы и сыты. Но я повторяю тебе, мой родной... — Голос ее из медового и сладкого стал грубым. — Но я повторяю: ты не изменяй! А то... Ох, Марат! Я тебе не завидую!

Зима в Новосибирске наступила рано: на октябрьские пошел сильный снег, и утром седьмого ноября, когда во всех человеческих жилищах готовились к отмечанию великого праздника, и резали заранее засоленную рыбу на куски, и терли морковку — подмороженную, вяловатую — для свежих салатов, и ставили тесто в кастрюлях в самые теплые уголки, накрывали его полотенцем и часто подходили, как к живому человеку, наклонялись, заглядывали в липкое, без черт, лицо: пора бы уже и подняться! — в этот день, то есть седьмого ноября, открылся каток, и Адела с большим животом и распухшими губами стояла у окна, смотрела на улицу, по которой бежали оживленные девушки и молодые люди с коньками на веревочках, перекинутыми через острые плечи, и с нею случилось такое, чего никогда не случалось: тоска. То ли этот снег, сияющий, медленный, словно начало — о самое, самое! — «Венского вальса», а то ли чужой, недостроенный город, чужая, в снегу и дыму от мороза река вдалеке, то ли вдруг пришедшая к ней мысль, что все мы когда-то умрем: Виола умрет, нерожденный младенец, Марат и старуха, которую сейчас поднимают две вежливые заснеженные девушки, поскольку старуха упала и встать не могла, — да, все мы куда-то уйдем навсегда, нас больше не будет, и Бени не будет... Легкое отвращение, ничуть не похожее на то жгучее чувство, которое наступало сразу, лишь только отросток сознанья ухватывал в месиве памяти Беню, — это легкое, чтобы не сказать примирительное, отвращение напугало ее.

«Да что это я? Я совсем ослабела, — подумала она и прижала к своему горячему бедру кудрявую голову робкой Виолы. — А если и я так, как эта... Умру? Рожу и умру? Это часто бывает!»

— Пойди поиграй, — сказала она и оттолкнула Виолу, которая своим дыханием начала мешать ей думать. — Нельзя всё за мамину юбку цепляться!

Расширенным взглядом она проводила послушную дочь, которая на своих коротких, прямых и очень похожих на Бенины ногах поплелась на кухню, и тут же отчетливо увидела себя спокойно лежащей в гробу — всю в цветах и новые черные туфли надеты. Ей стало и страшно, и скучно одновременно. Со всеми так будет. Ведь ждут не дождутся быстрей закопать! Адела засмеялась невеселым, но громким смехом и вдруг почувствовала, как у нее отяжелел низ живота. Потом что-то капнуло, как из-под крана. Она подставила ладонь, и на нее полилась кровь. Она поняла, что это что-то связанное с ребенком и что-то ужасное — может быть, смерть, — и стала метаться по комнате. Телефона в новой квартире еще не было, но она знала, что на первом этаже, у одной из артисток музкомедии, есть телефон, потому что Марат попросил разрешения поздравить с днем рождения по телефону своего оставшегося в Петрозаводске двоюродного брата, и эта артистка, которой по возрасту лет девяносто, его ко всему еще чаем поила. Забыв про Виолу, она захлопнула квартирную дверь и, оставляя на каждой ступеньке по несколько капель густой темной крови, спустилась на первый этаж. Артистка музкомедии с двумя островками былой красоты в виде глаз — огромных фиалок и очень лучистых, — в розовом коротком халатике, как будто она живет не на первом этаже многоквартирного дома в суровом советском городе Новосибирске, а где-нибудь, скажем, в далеком Сорренто, и ест виноград, и купается в море, поэтому ей так и нужен халатик (пошла, окунулась в лазоревых водах — и снова легла на плетеное кресло), вот эта артистка открыла Виоле, увидела кровь, образовавшую небольшую лужицу у самой двери, схватилась за щеки и бросилась сразу звонить в «неотложку».

«Неотложка» приехала одновременно с Маратом Моисеевичем, который лихо спрыгнул с подножки трамвая, слегка подмигнув золотисто-румяной, как персик, девчонке, и, неприятно растревожившись от вида медицинской машины, стоящей у его нового дома, вошел осторожно в подъезд, из которого навстречу ему два санитара выводили под руки бледную, на подогнувшихся ногах жену его Аделу Вольпину.

— Пропусти, парень, — грубо сказал ему один из санитаров, — обождать не можешь? Видишь — больного спускаем.

Марат Моисеевич прижался к ледяному столбику, подпирающему навес над подъездом. Адела повела на него особенно черным на фоне белизны новосибирского снега глазом и кротко сказала:

— Теряем ребенка.

Марат Моисеевич ахнул и хотел было рвануться за ней в эту медицинскую машину, но Адела остановила его дрожащей рукой:

— Там дочка одна. Иди лучше к дочке, Маратик.

К полуночи Марат Моисеевич узнал, что жена его оставлена в больнице с диагнозом «угроза непреднамеренного прерывания беременности» и будет лежать там не менее чем шесть-семь недель. Посетители не допускаются, поскольку зима, повышенная опасность вирусных заболеваний и, кроме того, карантин. Передачи принимаются раз в день, список продуктов строго ограничен. Артист Вольпин схватился за свои маслянистые черные виски. Кроме тревоги за будущее Аделы и нерожденного сына, тревога по поводу того, как он проживет эти шесть недель, кто будет возиться с несчастной Виолой, пока он играет в театре, ударила в голову так, как в ствол ударяет внезапная молния и тут же насквозь прожигает его. Собравшись с силами, Марат Моисеевич написал Аделе осторожную записку с вопросом, как быть и что делать.

Человек мой самый любимый на свете! — ответила ему Адела мелким и красивым почерком. — *Я отдала бы жизнь, чтобы помочь тебе, но рождение нашего сына поставлено под угрозу. Я должна лежать с подвязанными кверху ногами и ждать. Врачи говорят, что это единственный способ. Если бы Виолу можно было поместить сюда, в мою палату, она могла бы здесь играть, и я бы следила за тем, что она кушает. Кормят ужасно, но ты должен с сегодняшнего дня покупать все на рынке, который называется «Хитрый рынок», и я уже была на* нем вчера, пока ты репетировал. *Может быть, я и надорвалась там, подняв целый мешок картошки. Другим женщинам не приходится таскать на себе продукты с Хитрого рынка, потому что у них для этого есть любящие и заботливые мужья. Но я привыкла к тому, что обо мне никто никогда не думает. Теперь тебе придется подумать о ребенке, у которого, кроме тебя, нет никого в целом белом свете. Мать ее лежит в больнице, и есть угроза для моей жизни. Слава богу, что у нашей дочери есть отец! Ни секунды не сомневаюсь, что ты ничего не пожалеешь ни для ее здоровья, ни для ее жизни. Спроси в театре, кто может отдать тебе на время свою домашнюю работницу, которая не будет воровать. Я знаю, что домашние работницы часто меняются и служат то в одном, то в другом доме, и очень много женщин приезжает сейчас из деревень, потому что всем ведь нужно зарабатывать. Тебе нетрудно будет найти такую женщину. Но я умоляю тебя, дорогой, не смей никого впускать в дом, если ты не знаешь этого человека! Никогда не бери в дом женщину моложе шестидесяти двух лет. А еще лучше — семидесяти. У таких людей всегда большой опыт, а Виола — очень непростой и капризный ребенок. Я буду ждать от тебя новостей.*

Целую тебя очень крепко и много, много раз.
Твоя любящая и верная жена

Адела.

Две балерины из кордебалета, которые много лет жили вместе, предложили Марату Моисеевичу младшую сестру своей проверенной немолодой домашней работницы Аннушки, которая как раз жаловалась, что сестра ее Вера Потапова недавно развелась с алкоголиком-мужем, работает в больнице ночной нянечкой, но денег не хватает, и она с радостью поможет известному артисту Вольпину, пока его жена Адела находится в стационаре с подозрением на непреднамеренное прерывание беременности. Марат Моисеевич согласился почти с восторгом, написал Аделе записку, что Веру Потапову видел, лицом очень нехороша, а фигурой и того хуже, припадает на левую ногу и в детстве болела какой-то болезнью, поэтому изредка дергает шеей; но женщина скромная, дочку Виолу вдруг так полюбила, как будто родную. Читая это восторженное письмо, Адела Вольпина нахмурила высокие черные брови и закусила губу: слишком уж пылко расписывал муж, граф Данило, лицо и фигуру Потаповой Веры. Совсем получилась убогая женщина. Однако искать сейчас, второпях, другую какую-то мужу помощницу, к тому же и лежа в больнице с задранными кверху и подвязанными ногами, Адела не могла. Пришлось написать, что согласна. В понедельник Вера Потапова должна была ни свет ни заря появиться в новой квартире Вольпиных с тем, чтобы отвести Виолочку в детский сад, сготовить еду и прибраться в жилище. С ужасом Адела Вольпина представила себе, как, дергая по неизвестной причине шеей, чужая хромая живет в ее доме, готовит кисель ее мужу, стирает ему все трусы и рубашки и кормит несчастную дочку Виолу. Она потеряла покой. Увидеть бы ей эту самую Веру!

Несколько ночей Адела не смыкала глаз. Ночь темная, долгая в Новосибирске, и снег валит так, что ни зги не увидишь. Адела стонала, как зверь в своей клетке, приходя в отчаяние от беспомощности, пока одна свежая сильная мысль, родившаяся отчасти при помощи оперетты, вдруг не охватила ее. В столовой больницы работала баба, до странности похожая на Аделу Вольпину — такая же мощная, черноволосая, хотя при ненужном с Аделою сходстве совсем некрасивая. Баба, как рассказывали, вела непутевую жизнь, попивала, и если бы не постоянное заступничество главврача Парфена Андреича, не видеть бы ей никакой медицины, а лучше сказать, пищевой сытной точки. Написав своему доверчивому мужу-артисту, что здесь, в больнице, не допросишься даже пирамидону, если не сунешь вовремя рубль медсестре или нянечке, Адела дождалась, пока щедрый и ничего для нее не жалеющий муж передал ей десять рублей в конверте, и тут же ответила ему короткой, горячей от слез запиской, что бросила деньги на тумбочку, вышла в уборную, тут же вернулась и — всё: ни конверта, ни денег. Безропотный муж передал еще десять. Адела с трудом поднялась, накрасила губы вишневой помадой и очень разлапистой, грузной походкой, держась за живот, пошла к бабе. Баба курила «Беломор», жарко дышала в открытое настежь окно и очень при этом ругалась с верзилой, который в наброшенном белом халате шел с ведрами по направлению к моргу.

— Хочу вас попросить о маленьком одолжении, — сладко сказала Адела, но вдруг ухватилась за грудь и закашлялась.

— Чего? — спросила ее невеселая баба.

— Мне нужно, — понизила голос Адела, склоняя вишневые губы к неряшливо пахнущим сеном ноздрям собеседницы, — на пару часов выйти в город. На пару! А может, и меньше. Наверное: меньше.

— А мне что за дело? — ответила ей незнакомая баба.

И тут Адела совсем понизила голос и несколько минут, не отрываясь, шептала пьющей работнице столовой свои объяснения. А баба угрюмо кивала.

Настала сибирская жгучая ночь. Мороз обжигал. В половине двенадцатого ночи Адела в огромном тулупе и валенках, обвязанная пуховым платком, очень тихо, боясь разбудить, открыла ключом дверь квартиры. В кухне, где полагалось спать на раскладушке Вере Потаповой, никого не было, и чистота плиты, накрытого клеенкой стола, блеск кастрюль, надраенных, словно созвездия в небе, поразили Аделу. В маленькой комнате, свернувшись, как кот, спала дочка Виола. Адела по привычке пощупала ей лоб: температуры не было, но нижняя губа, оттопыренная точно так же, как у проклятого Скурковича, была как всегда и ничуть не менялась. Ей стало жарко, и она скинула на плечи заснеженный, весь в голубых и сиреневых искрах платок незадачливой бабы. Потом очень тихо, совсем незаметно, открыла дверь спальни. Страшная картина предстала ее глазам.

На кровати, которую она выбирала с любовью и каждую дощечку на которой много раз прощупала заботливыми руками, лежал, крепко спал своим сном богатырским неверный — о, подло неверный, о, гнусный! — с горбинкой на смуглом носу и с кудрями, законный ей муж Марат Вольпин. А рядом, внутри этой чудной кровати, спиною к артисту, положив голову на его мускулистую худощавую руку и всею спиною к нему прижимаясь, спала моложавая Вера Потапова. Пол под Аделой зашатался, как подвесной мост над водоемом, она ухватилась руками за стену. Вера Потапова сладко потянулась во сне, повернулась к Марату Моисеевичу передом и, продолжая спать, уткнулась лицом в его сильную грудь. Адела пошла на кухню, отодвинула ящик, ощупью отыскала в нем нож для разделывания мяса и рыбы и вернулась в спальню. Но в спальне горел уже свет; Вера Потапова, похожая на молодого бычка своими широко расставленными глазами, сидела на кровати, свесив голые ноги с некрасивыми крестьянскими пальцами, и в ужасе прижимала подушку к совсем обнаженной груди. Марат Моисеевич торопливо натягивал брюки и что-то уже говорил громким басом. Увидев вошедшую, в огромных мокрых валенках, с которых текло прямо на пол, Аделу, они побелели и замерли оба.

— Адела! — мученически сказал Марат Моисеевич. — Родная! Я все объясню. Ты не думай! У нас ничего с нею не было!

Адела не ответила, только молча пошевелила своими распухшими губами.

— Аделочка! — громко, как будто его слышат в зрительном зале, воскликнул Марат Моисеевич. — Детка...

— Не смей подходить! — просипела Адела. — Убью.

— Ой, мамочки! — взвизгнула Вера Потапова. — Ой, смерть моя, мамочки!

Из соседней комнаты, кулачками протирая заспанные глаза, вышла дочка Виола в зеленой пижамке с неброским рисунком.

— Адела! — сказал граф Данило. — Ребенок здесь. Видишь?

216

Адела оглянулась и увидела дочь.

— Скуркович проклятый! — пробормотала она.

Виола, разинувши рот, зарыдала.

— Сказала тебе: не реви! — огрызнулась Адела. — Ложись спать обратно!

С ножом в руках, она спиной отступила в коридор, не спуская глаз с Веры Потаповой и неверного мужа, открыла квартирную дверь, протиснулась в этом своем полушубке и мокрых раздавленных валенках в темень, и дверь за ней тут же захлопнулась.

— Марат Моисеич! — рыдая, повисла на шее артиста Потапова Вера. — Оставьте ее! Ведь зарежет!

— Папуся! — прижалась к ноге его дочка Виола. — Оставь ее, папа! Папуся! Зарежет!

Марат Моисеевич погладил ладонью их бедные и одинокие головы. Душа так болела, что хоть удавиться.

Адела Вольпина, шатаясь как пьяная, быстрыми, но неуклюжими шагами шла по направлению к реке. Нож она уже выронила, и что было дальше с ножом, неизвестно. Ей хотелось одного: перестать чувствовать то, что она сейчас чувствовала. Страшное желание мести, которое разом выпотрошило из нее все живое, когда эта Вера со сладкой зевотой прижалась своим спящим телом к Марату, толкало ее прямо в черную воду.

Занесенная первым снегом и уже скованная льдом река при виде Аделы и не шевельнулась. Она была мертвой, и снег на ней — мертвый, и птиц — даже этих голодных, всегдашних, которые мерзнут, но не улетают и часто зимой превращаются в комья блестящего серого льда, — даже этих пичуг непутевых там не было. Жадно бездомная смерть оглядела Виолу и к ней протянула бескровные ветви. Они еле слышно звенели от ветра. Несколько раз поскользнувшись и больно ободрав ладони обо что-то колючее, торчащее из-под снега, Адела наступила валенками на лед и изо всей силы застучала по нему пятками:

— Откройся! Откройся!

Но ей не ответили. Она опустилась на колени, сбросила варежки и голыми горячими кулаками начала колотить по мерзлому снегу:

— Впустите меня! Отворите! Впустите!

Река молчала. Адела перевела дыхание и приготовилась было стучать и кричать дальше, но что-то внутри живота вдруг плеснуло, порывисто, сильно, как рыба. И замерло. Снова плеснуло. Она положила ладонь на живот. И тут же внутри ее стало плескаться сильнее, сильнее — и стукнуло в сердце, и замерло снова, и насторожилось. Она догадалась, что это ребенок.

Ей сразу же пришло в голову, что, убивая себя, она убьет и ребенка. С одной стороны, это было правильно, потому что Марату станет еще больнее, но, с другой стороны, она ведь убьет не чужого ребенка — свою плоть и кровь! Лед затрещал, и тонкая трещина прорезала очищенную от снега грузным телом Аделы поверхность.

Она отползла назад, трещина стала заметнее. Тогда Адела поднялась и, обеими руками придерживая живот, начала пятиться от этого страшного места, потом, задыхаясь и бормоча проклятия, обдирая руки о колючки, вскарабкалась на берег и тут только перевела дыхание. Нечего было проводить время на этой реке среди ее льда, мертвечины и мрака! Нужно было по-быстрее лечь на больничную койку, попросить медсестру, чтобы ей как можно выше — да хоть к потолку! — подвязали ноги, и тихо лежать, тихо ждать. А как же: раз он постучался? Она побежала по направлению к трамвайной линии, ужасаясь, что в животе стало тихо, как будто ребенок заснул или умер, — и дикое сердце ее, пламенея, молилось, как в детстве.

На следующее утро Марату Моисеевичу удалось за хорошие деньги добиться свидания с женой. Старательно причесанный — волосок к волоску, — в белой накрахмаленной рубашке и черном концертном костюме, он нервно ходил взад-вперед под большим плакатом, на котором русоголовая женщина в простой, но аккуратной одежде целомудренно выставляла наружу молодой сосок, и было при этом написано: «Заботьтесь о вашей груди своевременно!»

Марата Моисеевича передернуло от брезгливости, и мысль, что сейчас он увидит Аделу, покрыла его липким потом. Конечно: случится ужасное. Он поправил галстук, и в эту секунду вошла его жена в сопровождении старшей медсестры. Жена стала выше, крупнее и шире, но строгое лицо ее с опущенными ресницами не предвещало того скандала, на который рассчитывал Марат Моисеевич.

— Адела! — сказал он своим мягким басом. — Поверь: ничего у нас не было!

Адела сделала рукой спокойный королевский жест и покачала головой:

— Не надо, Марат. Ты, Марат, не мужчина. И мне безразличен. А спать можешь, сколько ты хочешь. Со всеми. Хоть с крысами. Хоть с пауками.

Она усмехнулась презрительно и приоткрыла рот, как будто сейчас запоет и запляшет. От удивления Марат Моисеич присел на диванчик под славным плакатом.

— Но я... Но послушай, Адела...

— Да нечего слушать! — отмахнулась она и лукаво засмеялась: — А как я тебя? Ведь ты не ожидал? — потом закусила легонько губу. — Вот наглая девка! Зачем тебе эти простецкие девки? Под боком театр: там шлюх сколько хочешь! Одних балерин восемнадцать. Чем плохо? Еще, говорят, привезут. Ближе к лету...

— Адела, — решительно сказал Марат Моисеевич и хотел было дотронуться до ее плеча.

Она отскочила как ошпаренная. Глаза ее вдруг побелели.

— Чтоб ты — никогда! Чтобы пальцы отсохли! Я руки тебе отрублю! Вот запомни!

Марат Моисеич совсем растерялся:

— Адела, но дети...

Она мрачно, обреченно посмотрела на него.

— Ребенка рожу, — сказала она с угрозой. — Без отца не оставлю. Но ты ко мне не подойдешь. Запомни, Марат. Никогда. Хуже будет.

Какая была потом жизнь? Да долго рассказывать! Мальчик родился, хорошенький мальчик. Назвали Алешей. Осень, зиму и весну проводили в Новосибирске, летом выезжали на гастроли. Марат Моисеевич получил звание заслуженного артиста и был одно время парторгом в театре. Аделе не давали ведущие партии, ссылаясь на то, что она слишком массивна для того, чтобы играть влюбленных, любовниц, любимых и любящих. Она перешла на комических старух, нянек, негритянок, папуасок, разлюбленных жен — да кого бог пошлет! Играла со смаком, и ей всегда хлопали. Страшным было лицо ее в гриме старой негритянки. Страшными — выпуклые белки под выщипанными в ниточку бровями, вокруг которых кожа потела так, собираясь в складки, что грим очень быстро стекал, и около глаз были белые пятна.

Марат не менялся. Фрак шел ему больше, чем раньше, — так все говорили.

Квартиру они поменяли с доплатой и жили теперь в пятикомнатной. Квартира сверкала. Двенадцатилетняя Виола со своими скорбными глазами-полумесяцами должна была чистить, и мыть, и скрести. Адела могла налететь, словно ястреб, заметив пылинку. Сыночек Алеша был мягким, смешливым, привязанным к маме. Адела носила его на руках, потом — когда вырос и стал большим, крупным — водила за ручку. Ни разу не тронула пальцем. Виолу по-прежнему била, таскала за толстые косы, желала ей смерти, но также случалось, что и целовала, ласкала, кусала. Всегда только в шутку, нисколько не больно. Они были — дети, родные щенята, ее плоть и кровь. И суки-волчицы кусают помет свой.

Внутри этого большого, хорошо обставленного, со всегда набитым холодильником дома происходило следующее. Ребенок Алеша, немного капризный и очень балованный, любил прибегать к ним в кровать и спал между ними, свернувшись. Во сне его толстые щечки горели. Большая Адела лежала у стенки, Марат Моисеевич — с краю. Те слабые испуганные попытки, которые он несколько раз делал за эти годы, пытаясь опять стать супругом Аделе, приводили к одному: она приоткрывала рот точно так, как тогда, в больнице, когда он пришел, накрахмаленный, тихий, и стал объяснять ей про Веру Потапову. Она приоткрывала рот, как будто весь зал, все бинокли, все глазки, забыв обо всем, видят только Аделу; по лицу ее разливалась темная волна презрения, блестели жемчужные крупные зубы. Одною рукой отодвинув Марата, другую прижавши ко лбу, она заливалась безудержным смехом, и груди вздымались, как волны на море, и смех проникал сквозь кирпичные стены, тревожа просторы бескрайней Сибири.

Она хохотала, она заливалась, а он сидел, гордый, в трусах, с голой грудью, на которой уже начали слегка седеть его кудрявые волосы, и чувствовал, что он немного на сцене, поэтому просто вскочить, дернуть в кухню, включить громко радио, где часто пели все те же любимые старые песни, не мог: он бы этим разрушил спектакль. Сидел на кровати в трагической позе, а именно: боком к торшеру, прижавши к глазам своим — влажным, с густой поволокой — красивые руки, следил за весельем. Адела с трудом продиралась сквозь хохот:

— Марат! Ха-ха-ха! Ты давно не мужчина. Зачем ты мне нужен? Не знаешь, Маратик?

Тогда (словно занавес падал, а люди, шурша и дыша, уходили из зала) он все-таки вскакивал: жалкий и гордый, в трусах, с серебристою, голою грудью, шел в кухню, пил воду из крана и слушал, как *ночь напролет соловей нам насвистывал...*

Их знал целый город. Они были люди известные, яркие. Все деньги они проживали. Широта и жадность Аделы доходили до абсурда. Она закупала продукты — мешками. Везде процветали знакомства и связи: на рынке, на базе, в молочном и в рыбном. Везде оставляли и предупреждали:

— Адела Исаковна, нужно икорки? Вчера привезли.

Ей ВСЁ было нужно. Икорку, бананы, урюк, шерсть, колготки. Но деньги кончались. Она занимала. Потом занимала еще, у других. И первым немедленно все отдавала. Потом занимала у третьих, четвертых. Но были: икорка, урюк и колготки. Могли завести и бананы на базу, могли клюкву в сахаре. Не напасешься! Марат не мешал ей. Дом — полная чаша. И дети обуты, одеты. Она приходила к портнихе, журчала:

— Вот это пальто моей мамы. Алешеньке выйдет костюмчик и брюки. Виоле останется, может, на юбку? Ах, нет? Не останется? Ну, и неважно. Мы летом играем в Литве; мне сказали, что там можно пряжи набрать на всю жизнь. Тогда я и вам привезу, как же, как же! Да вы же колдунья! Без вас мы бы голыми просто ходили. Я лично бы голой — клянусь вам — ходила!

В конце июня театральный сезон заканчивался и нужно было ехать на гастроли. Неделю жили в криках и пощечинах. Адела кричала и била Виолу. Марата нельзя, а Алешу подавно. Но руки горели: хотелось ударить. Виола с ее бестолковой походкой и вечным испугом в опущенных глазках была пусть не лучшей, но все же мишенью.

— Скуркович проклятый! — кричала Адела. — Зачем тебе кукла? Оставь эту куклу! Без куклы поедешь!

Виола торопливо клала куклу на пол, и слезы лились прямо кукле на чепчик.

— Ей что, на полу разве место? А ну-ка, иди, я тебе объясню, где ей место! Иди, моя радость! Поближе! Поближе!

И била с размахом, с душою, от сердца. Виола икала от тихих рыданий. Марат Моисеич, конечно, вступался:

— Не смей бить ребенка! Кому я сказал? Какая ты мать! Ты не мать! Ты уродка!

Адела вдруг вся розовела от счастья.

— Как, как ты сказал, мой хороший? Уродка? Я правильно слышу? Кто это — «уродка»? Та шлюха, с которой ты спишь, мой хороший! Запомни навеки! Твоя сифилитичка!

Марат Моисеич подхватывал на руки дрожащую Виолу и запирался с ней в маленькой комнате. А в кухне гремел ураган.

— Сегодня повешусь! — кричала Адела. — На этой веревке! Вернешься — меня уже больше не будет! Идите все к черту! Чтоб всем вам подохнуть!

Маленький, с кудрявым затылком ребенок Алеша подбегал к матери и утыкался вздрагивающим лицом в ее колени. Адела смолкала испуганно.

— Сыночек! Мой сладкий! Ты что, мой сыночек? — Прижимала его к себе с силой, от которой у Алеши перехватывало дыхание. — Любимый ты мой, мой любимый, мой сладкий! А кто у нас сладкий? Кто самый любимый?

И так целовала, что щеки Алеши как будто бы маками вдруг осыпало.

Гастроли Новосибирского театра музыкальной комедии случались и в Киеве, и в Сыктывкаре. И в разных местах. Тяжело было, жарко. Потные, измученные артисты, только что покинувшие поезд, где их трясло двое, а то и четверо суток, с детьми, с ночными горшками, с недоеденными курами в промасленных газетах, сильно пахнущие духами и одеколоном (душились, чтоб собственным телом не пахнуть), расселялись в какой-нибудь жаркой и пыльной гостинице, и тут же начиналась беготня из номера в номер: то градусник нужен — ребенка продуло! — то спички, то выпить. А скоро спектакль.

Адела решила раз и навсегда: никогда не оставлять детей одних в гостинице. Пусть лучше сидят за кулисами. Пока папа с мамой кривлялись за деньги, Виола тихонько качала Алешу и пела ему то, что пели на сцене:

— Да-а-а! Я всегда была-а Пепита-дьяболо, а дьяволам, а дьяволам на всё-ё-ё пле-е-ева-а-ть!

И ножками, точно такими по форме, как ноги забытого бедного Бени, стучала по полу. Алеша капризничал.

С годами Марат Моисеевич начал болеть, и новосибирские светила (Адела к другим его не подпускала) искали в нем язву, песок, даже камни. И, всё обнаружив, лечили упорно. С багровым от напряжения лицом

Адела часами стояла на кухне и терла морковь, терла черную редьку, рубила капусту и всё задыхалась с ее этой грузностью от испарений. Но ели всё свежее, с пылу и с жару.

По состоянию здоровья Марату Моисеевичу часто предлагали путевки то в Ессентуки, то в Минеральные Воды. Бывало, что и в Кисловодск.

— Смотри, только сифилис не привози нам! — провожая его на вокзале, говорила Адела. — Я в книге читала: он передается не как гонорея, а элементарно. И через посуду он передается. Ты можешь детей заразить, мой хороший.

Потом улыбалась медовой улыбкой:

— Ах, боже мой, боже мой! Что я сказала! Ведь ты не мужчина, Марат! Я забыла!

Марат Моисеевич дергал щекою. Скорее бы в поезд! Но дети... Их жалко. На перроне, однако, могли оказаться знакомые, и Адела прижималась лицом к лицу Марата.

— Не смей есть сардины! — шептала она. — Тебе это — смерть!

— Да какие сардины! — с достоинством отвечал Марат Моисеевич, прислушиваясь к оглушительному стуку ее сердца и нюхая запах знакомых волос. — Там все отварное.

Поезд медленно отплывал. Ах, как все прекрасно, печально мелькало: Адела в ее новом платье в горошек, кудрявый Алеша, притиснутый к боку большою рукою ее в ярких перстнях, Виолочка с красным сосудиком в глазе (вчера только лопнул, но главный профессор уже успокоил: бывает, проходит), киоск с мороженым, хриплый носильщик, обрывки какой-то ненужной бумаги, — ах, Боже мой, так ведь мелькает вся жизнь, а ты отплываешь и машешь платочком!

В Ессентуках, но бывало, что и в Кисловодске, Марат Моисеевич вмиг выздоравливал. Песок высыпался, и камни с ним вместе, а язва сидела так тихо, так смирно, что все про нее забывали: сиди там! По утрам граф Данило прогуливался по аллеям санаторного парка в красивой пижаме, надушенный «Шипром», смотрел оживленно вокруг, усмехался. Потом принимал очень нужные ванны и пил, как козленок, из всех водоемов. Приятные шли пузырьки по желудку, и изредка было немного щекотно. Наевшись безвкусного и отварного, он долго и крепко — под шум старых вязов — спал в комнате, но к четырем просыпался. В четыре был полдник, всегда очень сытный: давали кефир или ряженку с плюшкой.

Вечером начиналось самое увлекательное: сначала кино, а на сладкое — танцы. Марат Моисеевич, усмехаясь, высматривал самую хорошенькую и, нежно обняв ее крепкую талию, пускался с ней в пляс. Самая хорошенькая притоптывала каблучками, кудряшки ее веселились. Она подпевала задорным пластинкам:

> И теперь пингвины людям рады,
> Ведь люди для пингвинов
> откры-ы-ыли м-и-ир!
>
> Ведь лю-ю-ди-и для пингвинов
> откры-ы-ыли мир!

Марат Моисеич кружил ее быстро и сам подпевал, заглушая артистов:

> Опять от меня сбежала
> последняя электричка,
> И я по шпалам, опять по шпалам
> Иду-у-у-у домой по привычке!

К полуночи танцы кончались. Марат Моисеевич провожал самую хорошенькую к женскому корпусу. Она трепетала и щурилась. В двадцати метрах от женского корпуса он замедлял шаги и останавливался под вековым буком, но часто бывало, что вязом. Хорошенькая привычно приваливалась спиной к стволу и закрывала глаза. Кавказские звезды, строгие и недоступные, как черкешенки, сияли презрительно им на затылки. Марат Моисеич осторожно притрагивался сухими горьковатыми губами к ее шее. Хорошенькая открывала глаза.

— Какие глаза у тебя, дорогая! — шептал он, чувствуя, как весь вдруг становится очень горячим.

— Тебе они нравятся? — уже сомнамбулически лепетала хорошенькая.

Марат Моисеич отрывал ее от вяза и притискивал к себе. И тут вся горячность его пропадала.

«Смотри, только сифилис не привози нам!» — журчал сквозь листву сладкий голос Аделы.

Ах, да не сифилиса он боялся! Откуда там сифилис, в Ессентуках-то? Ему становилось вдруг страшно другого: *она* была рядом, жена. Она наблюдала за ним сквозь деревья, он чувствовал запах волос ее, губ, и все эти куколки, все статуэтки не шли ни в какое сравнение с нею. Граф Данило нарочито закашливался и отодвигался.

— Пойдем, дорогая, — бормотал Марат Моисеевич, чувствуя, что стыд делает его ниже ростом. — А то у вас двери закроют.

— Пустите меня! — клекотала, как птица, которой нажали на горло, партнерша. — Пустите!

«А кто тебя держит? — думал про себя граф Данило. — Чудачка какая...»

Спотыкаясь и прижимая к себе сумочку, женщина убегала в сторону величественного Машука, любимой поэтом горы Закавказья. Марат Моисеич понуро шел прочь.

«Они там, наверное, легли, — думал он про детей и Аделу. — Нет, вряд ли она уже спит... Еще рано...»

Он и сам не понимал, что с ним происходит. Она ненавидела его и мучила сильно, как только могла. Из дома хотелось бежать. Не было ничего ужаснее, постыднее того, что она делала с ним, цепляясь при каждом предлоге, скандаля, бросаясь предметами. Но не было и ничего уютнее этого дома, который она свила так же, как птицы свивают гнездо. В гнезде и росли эти скромные дети, которых она заслонила от мира; росли среди бурь и ужасных скандалов, но были при этом чисты и румяны, и, глядя на них, можно было подумать, что их поместили в подводное царство. Среди розоватых кораллов, ракушек, на той глубине, где почти невозможно дышать, где тебя охраняет огромный Нептун с молдаванским акцентом, росли эти дети и не подымали глаза свои вверх — там, где были другие, нездешние бури, нездешние крики, где кто-то тонул или матом ругался.

Марат Моисеевич ненавидел свою жизнь и одновременно обожал ее. Он ненавидел свою жену, но жить без нее было все равно что танцевать на плохо прилаженных протезах. Все остальное, кроме ее огненно-красных дымящихся борщей и аккуратных котлет, в которые она закладывала кусочек сливочного масла и щепотку укропа, не имело никакого вкуса. По прежней привычке он изредка еще спал с другими женщинами и ласкал их, но по сравнению с нею все эти женщины были все равно что тени деревьев, а не сами деревья или цветы, из которых кто-то уже высосал их этот густой, вызывающий слабость, а то даже и дурноту желтый сок.

Однажды, впрочем, поехала в Ессентуки и сама Адела. Виолочке было уже четырнадцать лет, Алеше — пять. Марат Моисеевич повез их в Ленинград, желая похвастаться там перед братом, какие же это чудесные дети. Адела в Ленинград не поехала: ненавидела невестку, жену брата Виктора, следователя и криминалиста. Жена была слишком «советской», похлеще Марата, Адела их всех презирала, но тайно. Любых разговоров, любых анекдотов боялась до дрожи: в театре стучали, на рынке стучали и даже в столовой, открытой при жэке, уже завелись две стукачки.

Готовясь к одинокому отпуску, сшила в театральном ателье шесть платьев, купила у новой гримерши, у здешней, духи «Же ву зэм», босоножки и сумку. Комната в санатории была на двоих. Соседка с лицом, на котором глазам не хотелось останавливаться, подозрительно посмотрела на вошедшую Аделу с ее чемоданом, соломенной шляпой и вмиг появившейся сладкой улыбкой и спрятала в тумбочку два апельсина. Ломать подозренья Адела умела, и вскоре соседка, подсев к ней поближе, и руки к костлявой груди прижимала, и носом своим угреватым сопела, и жаловалась на ужасную жизнь. На мужа особенно: муж был мерзавец.

— Я счастлива с мужем, — сказала Адела. — Ах, Господи! Чем только я заслужила? Пылинки сдуваем друг с друга, поверьте!

Соседка со страхом посмотрела на нее:

— Вы любите мужа?

— Я? Больше, чем Бога! — воскликнула пылко Адела. — Безумно!

— И он что, вам даже и не изменяет?

Адела достала помаду из сумки.

— Вы шутите, милая? *Он* изменяет? Зачем же ему изменять, вы скажите!

— Да он ведь мужик... Это козье отродье! — почти задохнулась от боли соседка. — Ведь им, как козлам...

— Мой муж — человек! — оборвала ее Адела. — Я дня не осталась бы рядом с мужчиной, который неверен. Да! Дня не осталась! По мне лучше пусть нищета, лучше голод... Но гордость должна быть у женщины, вот что! Иначе она, извините, подстилка, а вовсе не женщина, вы извините!

В столовой, аккуратно слизывая с ложечки кислую сметану и сквозь прищуренные ресницы оглядывая сидящих, Адела заметила немолодого, но статного, видного собою подполковника, у которого белые виски красиво подчеркивали живость и черноту его небольших, но загадочных глаз. Адела вздохнула всей мощною грудью. После обеда подполковник предложил прогуляться к подножию Машука. Адела сказала немного жеманно:

— Вы не отдыхаете после обеда?

— По мне, лучший отдых — такая прогулка.

По дороге новый знакомый очень интересно рассказал Аделе о природных ископаемых Закавказского края и даже немного про магму и лаву. Адела дышала взволнованно, жадно.

— Какая вы, Адочка...

— Что?..

— Просто лава! — ответил он страстно. — Рассудок теряю...

Адела опустила глаза, потом быстро подняла их к горным вершинам, опять опустила, опять подняла. Конечно же, с веером было бы лучше.

— Пойдемте ко мне! — закричал подполковник. — Я так не могу! Умоляю: пойдемте!

— Зачем? — очень быстро спросила Адела.

Он не ожидал и слегка растерялся:

— Ну, как же? Попьем коньячку, познакомимся ближе...

— Но вы ведь женаты! — сказала Адела.

Курортник смутился.

— Тут дело такое... Жена никогда меня не понимала.

— И что, вы готовы расстаться с женою?

Он сипло закашлялся:

— Как-то не думал...

— Ах, Бог мой! Скажите! Он как-то не думал... Зачем же тогда нам знакомиться ближе?

Подполковник достал носовой платок и вытер лоб, покрывшийся крупным потом.

— Какая вы странная женщина, Ада! Сказали бы, что не хотите, и ладно...

— Пойдемте! — вдруг резко сказала Адела.

Подполковник, чувствуя большую рассеянность и даже частичное угасание пыла, поплелся за ней к корпусам. Машук помахал им вослед белой шапкой. Пока шли по заасфальтированной дорожке, ведущей к подъезду самого главного здания, в котором комнаты были не на двоих, как у Аделы, а на одного человека, подполковнику казалось, что весь санаторий следит, как он, строгий, в боях отличившийся, умный, солидный, идет к себе вечером с толстой артисткой. Он мог бы, конечно, сказать очень громко: «Журнал в моей комнате. Если хотите, давайте зайдем, я вам сам прочитаю об этом лекарстве». Чтоб слышали люди. Но он не сказал. Презрительное и ярко-красное от стыда не за себя, а, как показалось полковнику, за него (хотя он-то чем виноват?) лицо Аделы было таким надменным и недоступным, и так она гордо и лихо шла рядом, так громко дышала и так раздувала широкие ноздри, что он не людей, а вот эту Аделу боялся сейчас, как огня. И недаром. Войдя к нему в комнату, Адела скинула свою соломенную шляпу и села на кресло у журнального столика. Судя по трепетанию ресниц и крохотным капелькам пота, покрывшим предплечья, она волновалась.

— Ну, что же? Тогда коньячку? — стараясь быть бодрым, сказал подполковник.

— Налейте. Я, впрочем, не пью, — уронила Адела.

Немного задрожавшими руками он достал из чемодана непочатую бутылку армянского коньяку и с горечью вспомнил, с каким наслажденьем, с каким предвкушением встреч, вроде этой, он эту бутылочку клал в чемодан, какие его волновали надежды! Потом принес из душевой два стакана, на одном из которых были свежие следы зубной пасты, разлил коньячок по стаканам, нарезал лимон.

— За вас, дорогая! — сказал подполковник.

Адела медленно, глядя ему в глаза, выпила. Подполковник крякнул и, мысленно перекрестившись, как в далеком деревенском детстве учили его бабка с дедкой, положил широкую ладонь на выпуклое колено новосибирской артистки. Адела не двигалась.

— Красавица! — чувствуя, что коньяк все-таки ударяет в голову и кровь закипает, сказал подполковник. — Ну, надо же! Бедра какие! А волосы! Это же надо!

— Чего вам всем «надо»? — спросила Адела, и брови ее задрожали.

— Да, ладно, об чем рассуждать! — забормотал подполковник и нетерпеливыми руками начал закатывать шелковую юбку Аделы, желая проникнуть поглубже. — Давай еще выпьем, а там и за дело!

— За дело? — повторила Адела. — Тогда раздевайтесь.

— А это мы мигом! — сказал подполковник, краснея до цвета пиона. — Мы разом!

И живо стянул через голову рубашку, торопясь, расстегнул брюки. Адела сидела недвижно, как статуя.

— А ты что же... это? Сидишь, как принцесса, — угодливо прыснув, спросил подполковник. — Мужик ждать не любит! Давай я тебе помогу. Где тут это... застежка?

Адела встала во весь рост, переступила через его упавшие брюки и сделала шаг к двери.

— Куда-а-а? — зарычал подполковник, хватая ее за локоть. — Нет, милая, так не годится! Ты что ж? Распалила — и дёру?! Нет, так не годится!

— Пустите меня! — прошептала Адела, вырывая свою руку.

Но он уже был вне себя.

— Какое «пустите»? — брызгая слюной, бормотал подполковник, пытаясь сорвать с нее блузку. — Нет, кошечка, дудки! Какое «пустите»?

Неожиданно для своей полноты Адела вывернулась из его рук, щелкнула щеколдой и, распахнув дверь, вытолкнула наружу потерявшего равновесие подполковника. Женщина в модном зауженном книзу платье, идущая весело по коридору, застыла при виде большой гневной дамы и в синих трусах пожилого мужчины, которые выпали вдруг ей под ноги, как будто птенцы из родного гнезда.

— Ай! Ай! Безобразники! Ах, безобразники! — закричала модница. — Да где же, о Господи, администратор? Куда же он смотрит?

Почти обнаженный, рычащий как лев подполковник налег целым телом на дверь, но дверь не открылась: замок сам защелкнулся. По лестнице снизу бежал администратор, за администратором — милиционер, за милиционером — сестра-хозяйка, и вскоре все происходящее в коридоре резко напомнило съемку художественного кинофильма на студии Довженко.

— Документы! Я вас попрошу предъявить документы! — И милиционер, ухватив за руку подполковника в трусах, загородил вход в комнату, и без того закрытую.

— Пустите меня, черт возьми вас! — кричал и брызгал слюной подполковник. — Какие еще документы? Откройте мне дверь!

— Откройте ему, — царственно приказала Адела. — Его документы там, в комнате.

— А вы кто такая? — развернулся к ней милиционер. — А вы что здесь делали?

— Илья Николаич, — забормотал администратор в уху знакомому милиционеру. — Впустите их в комнату, ну их, ей-богу! А там уже и протокол... разберемся...

Милиционер кивнул, и администратор, торопливо достав из кармана нужный ключ, открыл дверь. Подполковник немедленно бросился к своим брюкам и тут же натянул их. Адела остановилась на пороге. Лицо ее застыло в презрительном недоумении.

— Что у вас тут произошло, гражданин Карпов Михаил Александрович? — заглядывая в паспорт, строго спросил милиционер.

— Я вам объясню, — забормотал подполковник, — тут дело такое... ну, личное дело... не хочется мне, когда тут посторонние...

— Он что, вас насиловал? — прямо и просто спросил милиционер у молчаливой Аделы.

Она покачала своей массивной растрепанной головой.

— Претензии есть к гражданину?

— Нет. Нет ничего. Я пойду, — вдруг сказала она.

И, отодвинув рукою администратора, широкой, свободной походкой, которой она уходила со сцены, когда вслед ей радостно рукоплескали, вышла из проклятой комнаты и, не оглядываясь, пошла по коридору к лестнице.

Она не вернулась к себе в эту ночь. Сначала шла, не разбирая дороги, спотыкаясь и хватаясь рукою за сердце, которое не болело, но она знала, что нужно хвататься за сердце — вернее, за левую грудь, — когда очень страдаешь. Выйдя за территорию дома отдыха, она глубоко потянула ноздрями снежный, ледяной запах воды, идущий откуда-то сверху, и заторопилась к нему. Вдали были горы, уже облаченные ночью в густую, сквозящую от порывистого ветра синеву, вдали были звезды, и пахло водою. Ее разрывали рыдания, и, почувствовав, что больше не может идти, она свернула с дороги, упала на черную пышную траву, зарылась в нее и затихла. Если бы кто-то из людей наткнулся тогда на Аделу — мать сына и дочки, артистку в театре, жену и хозяйку, — он должен был просто до слез удивиться: на обочине пустой дороги лежало больное животное, дикий — от стада, от стаи, от своры таких же — отбившийся зверь и готовился к смерти. Каждая складка его огромного, покорившегося тела, каждый клочок черной шерсти на его голове, каждая травинка, облепившая его выпуклую спину, прильнувшая к ней и притихшая, говорили о том, что зверю уже никогда не подняться: он болен смертельно, а может быть, ранен, а может, и ранен, и болен — всё вместе, — но только ему никогда не подняться.

Она лежала тихо, так тихо, как, бывало, лежала в подвале старика-молдаванина, который строго-настрого запретил ей плакать и разговаривать. Все, что приходило в голову, пугало ее: сначала австрийцы, а после румыны, подвал, пыль, картошка, потом этот парень, который приехал из Киева вроде. А может быть, и не из Киева. И как они вместе валялись в траве. Тут Адела стискивала зубы и переставала дышать. Он спрыгнул с трамвая! Увидел ее и — ведь спрыгнул с трамвая! От боли ее перевернуло внутри этой пышной растительности, большую и рыхлую, словно бы тесто, которое перевернули в кастрюле и снова оставили там, где и было.

Потом появился коротенький Беня и начал, как кошка, лизать ее руки. Она выдрала кусок травы и вместе с землею засунула в рот. И не закричала. Трава была мокрой. А как он тогда этой мокрой губой провел по груди ей, и стало казаться, что эта губа приросла к ней навеки? А все остальное? И как *это* пахло! Она вспомнила, как остро запахло раздавленным сыром, когда Беня начал содрогаться и стонать, лежа на ней, и как полилось по ногам и налипло! Тогда, ночью, она долго мылась во дворе из рукомойника, прибитого к дереву, а запах раздавленного сыра не уходил, он становился только сильнее, и утром, в училище, когда она Шуберта пела, — вот это: «Песнь моя летит с мольбою, а-а-а-а а-а-а-а!» — раздавленный запах забил вдруг дыханье.

Она приподнялась и широко открыла глаза. А самое страшное? Самое? Когда ее начало рвать по утрам и даже белки́ стали желтыми? Она сразу догадалась, отчего ее рвет, и съела все спичечные головки из большой коробки, надеясь, что это поможет умереть; но мать начала поить ее молоком, и отчим держал ее голову, они вливали ей в горло молоко, а она его выплевывала, но они не давали ей закрыть рот и снова вливали, давя на затылок.

Потом они жили в одной с Беней комнате, и он спал в носках. Перед глазами, которые вдруг заболели изнутри, закачались маленькие мужские ноги в черных носках. Она подняла руку, чтобы остановить это раскачивание, и у нее на ладони осталась горячая влажность потной Бениной ноги, только что вынутой из тесного башмака.

И все-таки дело не в Бене. Не в Бене! А в ком тогда дело? Она опять повалилась на живот, и что-то резиновое, юркое дотронулось до ее щеки. Червяк, может быть. Она не удивилась. Она была наполовину в земле, и ей не хотелось обратно, *на землю*. Нет, дело не в Бене, а в этом ребенке! Ребенок прилип к ней. Он к ней присосался. Никакой любви и никакой даже самой незначительной привязанности она не испытывала сейчас к этому ребенку, такому же, как Беня, с такими же, как у него, ногами и точно таким же приклеенным ртом. А пытка какая: сжимать эти щеки (ребенка) и вталкивать внутрь ей пищу! Иначе нельзя, она сдохнет иначе. Страх охватил ее: Адела увидела, как Виола перестает есть, какие-то люди накрывают ее простыней и сразу куда-то уносят. Нет, нужно кормить, продолжать эту пытку! И так будет вечно, до самого гроба. А муж? Ее этот муж, Марат Вольпин? Она тут же представила себе, как Марат Моисеич раздевает чужую женщину с круглыми глазами Веры Потаповой и, напевая, ложится на нее, а Вера Потапова дышит, как жаба: большим и разинутым ртом.

Сегодняшняя прогулка с подполковником Карповым к подножию Машука вспомнилась ей, как будто бы что-то далекое, странное. Как будто не с ней. Зачем она нарядилось в новое, одно из своих шести сшитых в театральной пошивочной платьев, и, виляя неповоротливыми бедрами, пошла рядом с ним, восхищаясь природой? Его нужно было убить. Он грязная лысая сволочь, и всё. Такой же, как муж, и такой же, как Беня, и точно такой же, как первый, с трамвая. Их всех нужно было убить, чтоб не лезли. И чтобы не лапали *там*, негодяи.

Трава, на которой она лежала, плавно приподнялась, как будто ее вдруг оторвали от земли. Адела почувствовала облегчение. Все, которых она ненавидела и которые мучили ее, остались на месте, и только она медленно-медленно внутри этой мокрой травы полетела. Ее тошнило от высоты, голова кружилась, но это всё мелочи, всё пустяки: они все остались, она улетает.

Марата Моисеича вызвали телеграммой: жена его попала в больницу с сосудистым кризом. Теперь опасность миновала, но возвращаться обратно в Новосибирск одной, с тяжелыми чемоданами, было рискованно. Марат Моисеич вылетел из Новосибирска немедленно и на следующее утро с горько поджатыми губами и страхом в своих — с поволокой — глазах явился в больницу. Шаркая на одном и том же месте шлепанцами по песку, блестя ярким лаком на всех двадцати очень скользких ногтях и рук своих белых, и ног своих крупных, жена его Адела Вольпина сидела на скамеечке в скверике и беседовала с другой больной в таких же разношенных шлепанцах. Она не видела Марата Моисеича, который бесшумною легкой походкой приближался к ним со спины.

— Она, уверяю вас, просто спекулянтка! — сладким и громким голосом говорила жена. — У нее каждый носовой платок стоит не меньше десяти рублей! А видели вы этот шарфик? Ну, как? С лошадиною мордой? Я себе такого шарфика не могу позволить! Нет, я не могу себе позволить такого шарфика с лошадиной мордой, хотя работаю как вол, а муж мой — заслуженный артист Карельской ССР. Но шарфик такой я себе не куплю!

— Но у нее муж не в театре выступает, он директор торговой точки. И просто на ней помешался, — сказала другая больная. — Вы видели этого мужа?

— На что там смотреть? — разозлилась Адела. — Пузатый мужчина! Конечно, с таким безобразным желудком ему нужно просто сидеть на диете, а он, извиняюсь, все ест, как животное!

Она сахарно засмеялась и откинула свою все еще красивую, синевой отливающую на солнце черноволосую голову. У Марата Моисеича отлегло от сердца: жена была такой же, какой она была и дома, в Новосибирске, и так же ее волновали вопросы чужой биографии, так же критичны остались ее рассужденья о ближних.

— Адела! — сказал он, дотрагиваясь до ее руки.

Она обернулась. Если бы Марат Моисеич не был артистом такого легкого и веселого направления в искусстве, как оперетта, а пел, скажем, в опере, где все серьезно, он тотчас заметил бы, как заблестели глаза у жены. Они заблестели затравленно, зрачки забегали из одного угла глаза в другой, как бегают мыши по клетке, со дна этих глаз быстро всплыло безумие, но тут же, себя испугавшись, пропало. Все это заняло, однако, не более чем тридцать секунд, и доверчивый Марат Моисеевич ничего не заметил. Она поднялась и, нашарив большою, немного отечной ногою свой шлепанец, красивым и сильным движением притянула Марата Моисеича к себе и крепко поцеловала в губы.

— Я так испугался! — низким голосом сказал Марат Моисеич. — О, как ты меня напугала! Я сразу всё бросил, сорвался...

— Боишься меня потерять? — медово спросила Адела, оглянувшись на свою собеседницу.

Та застенчиво потупилась.

— А кстати, нельзя ли у Нонны спросить, — опять заговорила Адела, — раз я все равно уезжаю, нельзя ли спросить: где тут можно купить этот шарф с лошадиною мордой? Пятнадцать, наверное, слишком, а десять и даже двенадцать бы я отдала. Но мне бы хотелось коричневый. А то потом, знаете, будешь локти себе кусать, что вовремя не купила, все на свете проклянешь! У меня в Москве — а я ведь там часто бываю — все время происходит одно и то же: прихожу, например, в «Детский мир», выбросили колготки, становлюсь в дикую очередь, стою. Покупаю шесть пар колготок

Виолочке, больше в одни руки не дают. И надо тут же вторую очередь занять, еще шесть пар взять, раз уж ты все равно там, в этом пекле, — а мне уже лень, уже ноги гудят. Домой возвращаюсь и плачу: зачем я ушла? Вы скажете: зачем? Ведь шесть пар колготок ребенку — на месяц!

— Конечно, спрошу, — согласилась больная.

— Тогда я хотела бы два таких шарфа, — немного растягивая слова, спохватилась Адела. — Коричневый и голубой. И бордовый.

— Так три? — уточнила больная.

— Да, три. По двенадцать. По десять она не отдаст. Спекулянтка!

Повеселевший Марат Моисеевич прислушивался к ее словам, как к музыке чардаша.

— Пойдем, мой хороший! — заулыбалась Адела, беря его под руку. — Значит, вы спросите?

Как только они отошли и больная в таких же, как у Аделы, шлепанцах скрылась из виду, жена вырвала руку из его руки, и глаза ее стали неподвижными, как будто она вспомнила о чем-то и застыла на этом воспоминании.

— Побеспокоили тебя? — с ненавистью прошипела она. — Сорвался он, бедный! А что ты там бросил? Вернее, кого?

— Адела! — Марат Моисеич схватился за голову. — Я не это... Я просто сказал, что, как мне позвонили, я тут же схватил самый лучший билет и тут же поехал... И я...

— Да знаю я все! — отмахнулась Адела. Неподвижные глаза ее расширились и помутнели от ярости. — Ты думал, что я умерла? Ну, сознайся? От радости прыгал, наверное? С этой... Ну, как ее?..

Можно было бы закричать на нее, можно было затопать ногами, можно было, в конце концов, резко отвернуться и уйти куда-нибудь, хотя бы все к той же горе Машук, недаром, как видно, воспетой поэтом, но Марат Моисеич не сделал ни того, ни другого. Только что бывшее веселым и разглаженным лицо его стало темнеть, и глубокие складки прорезали его, как грузовик прорезает узкую проселочную дорогу после обильного ливня.

Прошло еще лет, скажем, шесть или семь. Марат Моисеевич Вольпин слегка поседел, полысел, но эта редковолосая серебристая голова ему подходила не меньше, чем та, к которой привык и он сам, и все благодарные чуткие зрители. Теперь он все чаще играл в париках, но пел и плясал даже лучше, чем прежде. Продукты, несмотря на объективные трудности со снабжением Сибири и Дальнего Востока, еле-еле помещались в большом холодильнике Вольпиных (самом большом!), но каждый день кто-то звонил, предлагая то шпроты, то сыр, то зеленый горошек.

Адела совсем располнела. Лицо ее стало широким, а волосы, прежде густые и блестящие, потускнели, и на висках появились рыжеватые пятна (она закрашивала седину); глаза потеряли свой блеск, и неподвижная тоска, которая остановилась в них, могла бы испугать любого, если бы Адела не скрывала этой тоски при помощи сахарно-белых улыбок. Теперь она готовила так много, что можно было прокормить не одну семью Вольпиных, а десять прожорливых жадных семейств. Всего они съесть не могли, и ей приходилось выбрасывать, но и это не останавливало трудолюбивую женщину, которая, вернувшись домой после спектакля, надевала халат и становилась к плите, где снова кипело, скворчало, дымилось с такою нездешней и яростной силой, как будто вода отделялась от суши и шло сотворение нашего мира.

С домашними своими, Маратом Моисеичем и выросшей дочкой Виолой, она разговаривала сквозь зубы, как будто была на них вечно обижена, но шились Виолочке новые платья (по вкусу Аделы), а Марату Моисеичу каждый день выдавался на репетицию термос с горячим бульоном и несколько разных по форме судков с протертыми фруктами и овощами. Алешу любила до остервенения. Тряслась над Алешей, и часто, когда он сидел за письменным столом и делал уроки, она подкрадывалась, наклонялась, прижималась ярко накрашенными губами к его затылку и так застывала: дышала любовью.

Виолочка долго ходила в девицах, ей строго-настрого было запрещено возвращаться домой после десяти часов вечера, а если она вдруг задерживалась, то заставала всегда одно и то же: мать в желтом огромном халате, с мокрыми, теперь уже короткими и уложенными под сеткой волосами, с мучнисто-белыми руками, похожая на древнего китайского императора, неподвижного и беспощадного, встречала ее в коридоре.

— Явилась? — щурилась Адела и мягкой огромной атласной рукою давала Виоле пощечину. — Будешь еще?

Невысокого роста, ладная, с глазами, как два серебристых полумесяца, Виола смотрела на мать в ожидании боли, к которой привыкла так, как привыкают к дождям и закатам.

— И что ты молчишь? — говорил император. — Ведь ты не глухая.

Белая атласная рука опять поднималась для удара. В ту же секунду из спальни, решительный, бодрый, в красивой пижаме, являлся Марат и вставал на защиту.

— Виола, ты завтра мне все объяснишь! — высоко поднимая брови, рокотал он. — Ты мать доведешь, а сейчас иди в комнату! Адела! Не смей бить ребенка!

— Какого ребенка? Ты что, мой хороший? — жемчужно и нежно смеялась Адела. — Я завтра повешусь. Я вам обещаю!

Театрально разводя руками, она уходила на кухню и хлопала дверью с такой страшной силой, что даже картины дрожали на стенках.

— Виола, ты маму убила, — обреченно бормотал Марат Моисеич. — Ты нас убиваешь своим поведеньем.

Виола садилась на корточки в коридоре, сжималась, и плечи ее начинали трястись. А утром Адела с густо пропитанными кремом щеками намазывала маслом огромные куски хлеба, устилала их колбасою и сыром так, как полы устилают коврами, и звонко кричала:

— Виола! Алеша! За стол! Все готово!

Они приходили, еще неумытые. Адела смотрела внимательно, строго.

— Садитесь и ешьте. Чтоб всё мне тут съели. Вчера ты морковь не доела, Виола. Доешь. Я натерла. А то ты ослепнешь. Нельзя без моркови.

Виола была на третьем курсе института, когда судьба свела ее с физкультурником. В соседний, недавно построенный дом приехала украинская семья. Зачем, неизвестно. Вообще ничего не известно про эту семью, кроме того, что она состояла из матери, работающей бухгалтером, и очень высокого стройного сына с большими, как у запорожца, усами. А впрочем, он, может, и был запорожцем. Физкультурником же он был точно, потому что вскоре после приезда его взяли преподавать именно физкультуру в то высшее учебное заведение, в котором успешно училась Виола. На вечер, посвященный наступающему Новому году, Виола пришла очень ярко одетой. Адела велела надеть перешитое платье из красного бархата: когда-то сама в это платье влезала и даже немножко его пообтерла; но так перешили — никто не заметит. Виола пришла в этом бархатном платье и с конским хвостом на затылке. Всякий раз, когда рядом не было Аделы, она чувствовала, что ей до смерти хочется сделать такое, от чего мать немедленно пришла бы в ужас: ну, скажем, запрыгать, запеть очень громко, кого-нибудь передразнить ради шутки. Она становилась немного манерной и даже слегка вызывающей. К тому же еще это красное платье: оно без конца привлекало вниманье. Заиграли вальс, и физкультурник подошел к ней своею пружинистой твердой походкой. Виола сказала какую-то глупость, и всё от смущенья. Потом закружились. На повороте он крепче прижал ее легкое тело к себе и спросил:

— Послушай, ты замужем или свободна?

— Свободна, — ответила кротко Виола.

— Придешь ко мне в гости?

— Когда? Прямо щас? — удивилась Виола.

— Зачем «прямо щас»? А давай послезавтра! Придешь послезавтра?

— Приду послезавтра, — сказала Виола.

Мать ни о чем не подозревала. Ночью Виола встала с кровати и выскользнула из комнаты (Адела устроила гнездышко дочки по-своему: везде были куклы, и мишки, и зайцы) — она выскользнула и прокралась в ванную, где тоже стояли в красивом порядке шампунь «Бадузан», духи заграничные «Пани Валевска», духи «Красный мак» и латвийские «Дзинтарс». Закрывшись на ключ и стащивши рубашку, глазами, похожими на полумесяцы, она начала изучать свое тело. Все девушки ее курса давно уже были не девушки, у многих из них обручальные кольца почти закрывали фалангу на пальце. Они были женщины и говорили такие слова, как «мой муж», «мой мужик», «вчера прихожу, мать заснула, мой пьяный, Дениска один, без присмотра, обосран...».

У них была острая странная жизнь с ее очень острыми тайнами: какие-то были «задержки» все время, часами сидели они в кипятке и грызли, как белки орех, аскорбинку, мужей ревновали, а сами — туда же, короче: у них была *жизнь*, и в этом все дело.

Адела в сетке на коротких волосах спала рядом с вечно неверным Маратом и даже представить себе не могла, что дочка Виола, немного в ладошку набрав «Бадузану», растерла его по дрожащему тельцу, потом извлекла из чехольчика бритву — отцовскую, трогать нельзя! — и побрила подмышки, живот, волосатые ножки, хотя это было совсем и ненужным: немногие брили их в Новосибирске.

Пришло послезавтра. Виола не была уверена: вспомнит ли о ней физкультурник, а если не вспомнит, куда же идти? Она знала дом, но не знала квартиры. Но физкультурник сам подошел в конце занятий, сверкнул ярко-рыжим зрачком запорожским, спросил деловито:

— Готова? Пошли-ка.

Бог пожалел дрожащую мелкою дрожью Виолу — ни мать, ни отец, ни брат младший Алеша не встретились ей на пути. Они вошли в очень тесную квартиру, где прямо в прихожей висела картина, на которой заснеженные ели уходили в подсвеченное закатом небо и лоси (один был постарше, другой помоложе) брели во глубь леса, и все называлось не то «Зимний лес», не то «Лоси в лесу». Они вошли, и аккуратный физкультурник сразу попросил Виолу снять ее белые ботинки на натуральном меху, ради которых летом гостившая у брата в Москве Адела две ночи стояла у «Детского мира» и спать не ложилась, пока не достала вот эти ботинки, в которых Виола, забыв стыд и совесть, пришла к физкультурнику.

— А то наследишь, — сказал он. — Проходи.

Комната была всего одна, и в ней стояла очень высокая кровать, вся выложенная большими и малыми белыми подушками, вся в тюле, точь-в-точь будто свадебный торт, который, давясь и кромсая, съедают, хотя есть уже неохота, наелись, — стояла такая кровать, стол и горка со множеством разных хрустальных изделий.

— Мать любит посуду, — сказал физкультурник.

— Ты что, на ней спишь? — прошептала Виола.

— Нет, мать на ней спит. Я на кухне.

Он ловко подцепил обеими руками верхний слой богатого белого убранства и снял его так же, как пену снимают, когда молоко закипает в кастрюле. Под пышной белизной оказалась простенькая, ситцевая, в мелкий цветочек, простыня и две подушки в простых незапоминающихся наволочках. Физкультурник быстро посмотрел на Виолу, провел языком по красивым усам и сдернул к чертям простыню. Остался холодный обглоданной остов былой красоты и услады для зренья.

— Сейчас, обожди, — приказал физкультурник.

Ушел в коридор, там шуршал, что-то двигал и наконец вернулся с байковым, истончившимся от старости одеялом, в которое сам был, наверное, завернут, когда был младенцем, безусым и голым.

— Вот так будет лучше, — сказал физкультурник.

Потом подошел очень близко к Виоле.

— Не бойся, — сказал он и быстро снял брюки.

Виола сжала руки на груди и зажмурилась, боясь видеть то, что открылось глазам.

— Ты целочка глупая, — забормотал физкультурник, обнимая ее и щекоча золотыми усами ее зажмуренные веки. — Ты дурочка глупая... ах ты, дурашка...

Он оторвал ее от пола и кинул на кровать, на это чужим, кислым дымом чуть пахнущее одеяльце.

— Не надо... — тихонько сказала Виола

Он ласково скрипнул зубами и крепко поцеловал ее в открывшиеся десны.

— Ты только не бойся-я-я...

И тут же дикая боль, от которой Виола забилась в его руках и застонала, пропорола ее насквозь. Она попыталась высвободиться, сползти с этой ситцевой, скромной кровати, но он не пустил, и с остановившимися от страха, серебристыми глазами, которые быстро меняли свой цвет — вся их серебристость окрасилась черным, — она подчинилась тому, что он делал, и даже испуганно чмокнула воздух, как будто ответила на поцелуи.

Пока она одевалась, не попадая пуговицами в петли, путая левую ногу с правой, он возился в ванной с окровавленным одеяльцем и что-то слегка напевал.

«Я гляжу ей вслед, — распознала Виола, — ничего в ней нет, а я все гляжу-у-у, глаз не отвожу-у-у...»

Через пять минут он вернулся. Она стояла одетая, но без ботинок, которые остались в коридоре. Он опять подошел близко-близко.

— А больше не хочешь? — спросил он, проведя языком по усам.

Она обреченно молчала.

— Ну ладно, иди. — Физкультурник махнул рукой. — Дорогу-то знаешь?

Дома никого не было. Часы торопливо пробили шесть, когда она появилась на пороге и сразу же принялась разуваться: Адела не переносила грязи.

«Теперь мы поженимся, — сладко замирая, подумала Виола. — Я с мамой его познакомлюсь...»

На следующий день они столкнулись в раздевалке, но он прошел мимо, как будто не заметил ее. Она долго рыдала в уборной, закрывшись в кабинке и зажимая рот шарфом, чтобы никто не услышал, потом медленно побрела домой. Назавтра повторилось то же самое. Если бы не привычка к боли и страху и не постоянная готовность к унижению, Виола могла бы наделать отчаянных глупостей, могла подойти и спросить, что случилось... Она не спросила и не подошла. Но через месяц, когда у нее у самой наступила та самая «задержка», с которой старшие и опытные подруги немедленно садились в кипяток и ели одну за другой аскорбинки, она, закусивши губу — как делал отец ее, Беня Скуркович, зачавший Виолу в горах Буковины, — пошла на прием к гинекологу.

Гинеколог оказался мужчиной с большими и очень волосатыми руками, который, как только они погрузились в покорное тело несчастной Виолы, вдруг начал сердито ворочать глазами. Потом сказал:

— Замужем? Нет? Оставляешь?

— Что я оставляю? — спросила Виола.

— Не «что», а «кого»! — оборвал гинеколог. — Ребенка рожать собираешься или...

— Да, я собираюсь, — сказала Виола.

— Тогда — на учет, — приказал гинеколог.

Она возвращалась домой, как на смерть. Она шла на смерть, и вокруг это знали, поэтому солнце ее обходило и быстро ложилось на спину трамвая, на мерзлое дерево, на голубятню, но не на Виолу с ребенком во чреве. Ее обходили животные, люди, при виде ее гасли синие окна (нигде ни одной ни руки, ни улыбки!); она шла по городу так, словно уголь насквозь прожигал ей ступни, а в затылок смотрел кто-то тот, кто ее ненавидел.

Семья Вольпиных как раз усаживалась за стол, собираясь обедать.

— Ты руки помыла? — спросила Адела.

Виола пошла в ванную и вымыла руки.

— Помыла? Садись. Я тебе наливаю, — сказала Адела.

От половника, погрузившегося в огненный борщ и вынырнувшего из него ярко-красным, со свисающими по бокам розовыми полосками капусты, валил мощный пар, как от локомотива.

«Сейчас я скажу им, сейчас я скажу...»

— Ты что там бубнишь? — протянула Адела и сахарно расхохоталась Алеше: — Ты видел? Бубнит себе: «бу-бу, бубу, бу-бу-бу, бубу»!

И очень похоже ее показала. Марат Моисеич нахмурился:

— Виола, ты что, не дай бог, заболела?

«Сейчас я скажу... я скажу им, сейчас я...»

— Мне что, покормить тебя, как в детском садике? — немного темнея, спросила Адела.

— А я жду ребенка, — сказала Виола.

— Какого ребенка? — спросила Адела и стала вдруг черной.

Марат Моисеевич выронил ложку.

Виола закрыла лицо руками и разрыдалась.

— Нет, ты подожди тут рыдать! — захрипела Адела. — Какого ребенка ты ждешь? От кого?

Виола попыталась было встать со стула, но каменная материнская рука, больно упавшая на плечо, остановила ее.

— Адела, спокойно, — сказал граф Данило.

— Марат, помолчи! — закричала Адела. — Так я повторяю: какого ребенка?

От слез ее дочь не могла говорить.

— Смотри мне в глаза, — закричала Адела. —Ты с кем там связалась? А, шлюха? А, сволочь?

На лицо Виолы посыпались пощечины. Их скорость была такова, что даже Марат Моисеевич ахнул.

— Адела, не смей! Ты ее изуродуешь!

Адела задохнулась и тяжело упала на стул.

— Да будь же ты проклята, сука!

И вновь поднялась: великанша. И руку, атласную, белую руку с мучнистой, дрожащей и дряблой подмышкой, воздела наверх высоко, как священник:

— Навеки будь проклята! Чтобы ты сдохла!

Прошло семь месяцев. За это время Адела не сказала ни одного слова ни дочери своей Виоле, ни мужу Марату, как будто и он был виновен в ребенке. Алешу любила по-прежнему, страстно. Когда живот одинокой Виолы начал вылезать из-под любой одежды, а щеки ее пожелтели и больше нельзя было скрыть этот ужас, Адела легла на кровать, поставила на грудь телефон и за один вечер переговорила со всеми знакомыми в Новосибирске. На следующий день позвонила в Москву и тоже там все объяснила.

— Она у меня так воспитана, — пела Адела, — ну, вы же прекрасно все знаете! Она же ребенок, наивный ребенок! А он приходил, предложение сделал, кольцо подарил... Он нас всех оболванил! Готовились к свадьбе... Ах, я говорила! Поверьте: я все, как могла, объяснила! Нельзя, говорю я, нельзя, чтоб до свадьбы... Ну, вы понимаете... В наше-то время... Да я бы домой не посмела явиться с таким вот позором! Да что вы! Меня бы... Да мама меня задушила бы просто! Своими руками меня задушила! Я ей говорю: ведь позор на весь город! Ведь ты опозорила нас! Мы актеры, на нас ведь равняются, нас уважают! Но вот вы поймите: решила, и всё тут! Нет, буду рожать! А сама ведь ребенок... Ну, я понимаю: ну, шлюхи приносят детей в подолах, но моя-то? Ребенок!

На восьмом месяце у Виолы возникла та же самая угроза «непреднамеренного прерывания беременности», с которой когда-то попала в больницу ее разъяренная мама Адела.

Виола лежала в палате на десять человек, за окном стояла жара, нечастая в городе Новосибирске, и ноги Виолы — короткие, покрытые светло-черными волосками, маленькие и ловкие ноги — были задраны высоко вверх, поскольку считалось, что в этой позиции младенцу непросто пробраться наружу. Вставать разрешалось один раз в день, чтобы пройтись по длинному коридору, где вдоль стен лежали те, которым не хватило места в палате, но тихо пройтись, осторожно, держась за живот с заключенным в нем плодом.

За полтора месяца Адела не навестила свою дочь ни разу, но папа Марат Моисеич со скорбно опущенным ртом приходил и молча, не глядя на ноги Виолы, которые очень бросались в глаза, с тоской и печалию ставил на столик бульон с пирожком, и кисель, и бруснику, протертую лично Аделою, с сахаром. Потом приходил брат Алеша и, тоже не глядя на ноги сестры, выгружал то банку с пюре и парные котлетки, то студень телячий, то блинчики с мясом. У соседок по палате складывалось впечатление, что Адела, ни разу не навестившая измученную ожиданием и страхом Виолу, стоит у плиты днем и ночью.

Виола, рыдая, съедала котлетку, потом отпивала немного компота, а что оставалось, давала соседкам. Те брали. Назавтра она получала все свежее.

До родов оставалось две недели, когда Адела собралась и уехала в Москву. Брат был уже вдов — та, любимая женщина внезапно скончалась совсем молодою, — у брата была тоже дочка-подросток, машина «Победа», и теща, и дача. Адела лежала в старом, сером от сырости гамаке, продавливая его почти до земли своим большим, обтянутым крепдешином телом, а теща — мать нежно любимой умершей, — с зажатою в тонких губах папиросой, почти что погасшей, стояла с ней рядом и стригла кусты.

— Не знаю, — говорила Адела и черными остановившимися зрачками смотрела на светлое небо, — не знаю, как будет Виола с ребенком. И кто ей поможет, я тоже не знаю. Сама виновата, и нас опозорит. У нас даже места-то нету в квартире. Алеше нужна своя комната, верно? Марату — его кабинет. Наша спальня, столовая и проходная, там вещи. Не знаю, на что ей рассчитывать, правда!

Теща усмехалась и махала рукой. Потом они шли на террасу, садились в плетеные дряхлые кресла.

— Ты что, даже к родам домой не вернешься?

— А я вам мешаю? — вспыхивала Адела, и жгучие слезы вдруг сыпались градом.

И теща опять усмехалась.

— Я сегодня, кстати, в городе заночую, — словно вспомнив о чем-то, тянула Адела. — К открытию нужно попасть в «Детский мир». Последние деньги придется оставить! Но я не могу, чтобы этот ребенок родился и сразу — в лохмотья, в обноски! А *ей* наплевать, что *она* понимает?

В середине сентября из разрезанного живота Виолы достали здоровую крепкую девочку. Очнувшись от наркоза, Виола попросила, чтобы ей разрешили посмотреть на ребенка. Ей принесли туго спеленутую, очень маленькую, размером с батон, мать Аделу. Мать крепко спала, поэтому не было видно, какого там цвета глаза, но ресницы, и крошечный нос, и вишневые губы так явственно напоминали Аделу, как будто какой-то задумчивый скульптор, который лепил в животе у Виолы вот эти широкие скулы и веки, старался, чтобы получилась Адела.

Отец Марат Моисеич и братик Алеша с грустными и торжественными лицами выстаивали ежедневные очереди к окошку передач и посылали роженице свежие ягоды и фрукты. При этом поздравили в строгой записке. Но мать так и не появлялась. Мать словно бы канула в Лету — хотя там, в столице, какая же Лета? Одни магазины.

В пятницу Марат Моисеевич на предоставленной ему машине «Волга», принадлежащей Театру музыкальной комедии города Новосибирска, приехал в роддом и забрал дочь Виолу с недавно рожденным ребенком. Пока они ехали в новенькой «Волге», Марат Моисеич косился на сверток, в котором лежал незнакомый ребенок, и был очень сдержан, хотя и приветлив. Шофер не успел и затормозить, как с шумом подъехал таксист на машине, раздолбанной, грязной, как это бывает, когда вещь — ничья, даже если и стоит больших государственных денег. Из этой раздолбанной, грязной машины с двумя чемоданами, сумкой, пакетом, в капроновых черных перчатках и шляпе, с трудом извлекая огромное тело из жаркой кабины, возникла Адела.

Виола застыла с ребенком в руках. Марат Моисеич стал белым, как мрамор. Бросив все принадлежащее ей добро прямо на асфальт и гневно шевеля выщипанными в ниточку бровями, Адела сделала несколько решительных шагов по направлению к окаменевшей Виоле и большими мягкими руками вынула из ее рук сверток, теплый от того спящего существа, которое находилось внутри. Она прижала сверток к большой и щедрой груди, откинула кружевной уголок, взглянула одним только быстрым внимательным взглядом, и тут же глаза ее из ярко-черных вдруг стали почти голубыми:

— Ах ты, моя куколка! Ты моя птичка! — медовым, с красивым молдавским акцентом, глубоким контральто запела Адела. — Моя ненаглядная! Мой ангелочек! Пойдем скорей кушать! Пойдем раздеваться!

И сразу вошла прямо в темный подъезд. Нагруженные подобранными с тротуара пожитками, Виола с отцом поплелись вслед за нею.

К вечеру стало ясно, что этот ребенок принадлежит не матери, у которой всю грудь разламывало от подступившего молока, он принадлежит своей бабке, чье красивое и сильное лицо она ему и подарила навеки. Все те, которым Адела разрешила зайти и посмотреть на девочку, были поражены небывалым сходством.

— Да, копия! Просто ведь копия! — говорили эти люди и прищелкивали языками.

Адела парила над детской кроваткой, как хищная птица с крылами вполнеба. Она не позволила ни одной из этих любопытных женщин наклониться над ребенком и подышать на него. В прихожей гости должны были надеть на себя марлевую маску, обеспечивающую безопасность новорожденной.

— А как вы назвали, Адела Исаковна? — оживленно спрашивали гостьи у Аделы, как будто у девочки не было матери.

Но мать эта все же была: стояла поодаль, глотая рыдания.

— Я думаю, мы назовем ее Яной. Красиво, ведь правда? Янина Маратовна!

— А отчество, — с удивлением переспрашивали гостьи, — а отчество будет: Маратовна?

— Будет Маратовна. Зачем нам другое? И если мы сами, своими руками, прогнали того проходимца... — Адела смотрела на реакцию зрителей; те опускали глаза. Она понимала, что можно продолжить. — И если мы сами прогнали мерзавца буквально за час до назначенной свадьбы... Ведь он не желает взглянуть на ребенка! Хотя он-то, может, и очень желает, да кто же позволит? Я вас умоляю! Сама спущу с лестницы — вы мне поверьте!

«Янина Маратовна Вольпина» — так было записано в метрике. И тут же по городу Новосибирску пошли разговоры:

— Ведь он не отец ей, Виоле, вы знаете? Не кровный отец. Почему же Маратовна? Виола — Маратовна, дочка — Маратовна... А что, если он... А ведь девочка — скромная, ни с кем никогда не встречалась. Так это же ЧТО получается? Значит...

Марат Моисеич, гуляя с коляской, в своем простодушии и беспристрастьи почти не заметил загадочных взглядов, бросаемых быстро на эту коляску, а после — ему на лицо, где блуждала улыбка спокойного, ровного счастья. Виола была еще слишком невинна. Но вот когда слухи дошли до Аделы, вот тут поднялся океан! Адела, как хищник, который находит по нюху свою убежавшую жертву, мгновенно звериным чутьем распознала, кто мог заронить эти гадкие слухи, кто мог поддержать их, кто — распространить, и черные тучи свирепого гнева, проклятья и сплетни похлеще, чем эта, обрушила на негодяев, мерзавцев и всех уничтожила их за неделю!

Она, например, нашептала гримерше, что сын балерины Куваловой Гриша был приговорен за растление ребенка, и только вмешательство важного чина, с которым за это спала балерина, спасло ее Гришу тогда от расстрела. А утром Кувалова все уже знала и (бледная немочь, глиста на пуантах!) вела себя так, как когда-то пираты вели, получившие черную метку: они подчинялись и флаг опускали. Кувалова смолкла. Не только Кувалова одна. Адела могла рассказать и похуже историю, чем про растлителя Гришу: иди потом в лес, объясняй там медведю, что этого не было! Не докричишься.

Они были: чучелы, гномы, уроды. *Она* была — матка, царица, защитница.

Виола мешала ей невыносимо.

Младенец Яна, у которой были ее скулы, разрез ее глаз, ее выпуклый рот, уже не нуждался в неопытной матери. Пока Виола кормила, ее приходилось терпеть: молоко было жидкое, тщедушное, но все-таки материнское молоко — и Адела терпела. Хотя вечерами, подойдя к зеркалу и спустивши с атласных предплечий тугие бретельки лифчика, она с болью смотрела на свои огромные, сияющие груди с чернильными сосками, где быть бы должно молоку — не чахлому, как у Виолы, а, скажем, такому, как в этих журналах, которые брат получает в Москве: стоит на картинке какая-то немка и льет молоко из бидона в бутылку, и чувствуешь запах его сквозь бумагу, его густоту даже и на картинке!

Но груди ее пустовали. Напрасно она иногда их сжимала до боли, как будто надеясь на чудо: а вдруг?

Хорошо еще, что Виола заканчивала последний курс — брать академический отпуск Адела не позволила, — и с утра, нацедивши в бутылочку жалкого и словно бы уже заранее скисшего молока своего, она убегала в институт, бросив последний затравленный взгляд на ребенка, которого Адела не разрешала поцеловать, поскольку повсюду бродили инфекции. Никудышная эта мать убегала, Марат, которого замучил радикулит, уходил в театр, опираясь на красивую, темного дерева палку с серебряным набалдашником, позаимствованную из театрального реквизита, Алеша был в школе, и Адела оставалась одна в огромной, заставленной, пышной квартире с любимым своим существом. К одиннадцати появлялась домработница и тут же начинала пылесосить, вытирать пыль и проветривать, а Адела в длинной каракулевой шубе, на которую пошли все деньги, заработанные Маратом на радио и детских утренниках, выплывала на улицу и медленно и величаво плыла, как парусник по океану, толкая руками в больших рукавицах коляску, в которой спала ненаглядная крошка.

И люди смотрели, и люди дивились.

Она шла с высоко поднятой головой, в каракулевой шапке с накинутым сверху пушистым платком, и если навстречу ей вдруг попадались знакомые или друзья по театру, в котором она уже не выступала, Адела, завидев их на расстояньи, загадочно щурилась и говорила с особенно звучным молдавским акцентом.

Во время одной из таких прогулок замечательная мысль осенила ее: избавиться от Виолы можно только одним способом — пускай уезжает учиться. Чтоб только она не мешала им с Яной, не лезла бы под руку ей постоянно! Виола действительно не понимала, когда нужно остановиться. Бывало, что нервы не выдерживали у строгой ее матери, и когда Виола, например, начинала упрашивать, чтобы ей дали самой искупать доченьку, Аделе приходилось отталкивать упрямицу так, что Виола оседала на диван с каким-то отчаянно булькнувшим звуком, как будто бы лопнул вдруг шарик воздушный. Нет, хватит. Пусть едет в столицу и в аспирантуре продолжит учебу.

Адела нажала на все рычаги. Виола, поначалу ужаснувшаяся материнской затее, смирилась, и вскоре ей стало казаться, что столичное образование откроет перед нею другие горизонты, и если она, защитив диссертацию, вернется обратно, то мать не посмеет с ней так обращаться, как смеет сегодня. Кто бьет кандидата наук, вы скажите?

Яне исполнился год. Молоко, слабо поскрипывающее в груди у Виолы, засохло, и время пришло собираться.

Последнюю ночь перед отъездом Адела не сомкнула глаз: сердце ее разрывалось. Она стояла у окна, за которым блестела от луны широкая новосибирская улица, и липы какие-то пахли, и пихты, и кто-то бежал слабой тенью, спасался (хотя от кого он бежал, непонятно); ей стало казаться, что она хоронит свою Виолочку, что это она, положив дочку в гроб, глядит на ее одинокое личико, и где-то поет хор покрытых платками и словно бы странно заснеженных женщин... Потом она вспомнила: так отпевали жену ее брата. Она лежала в высоком гробу, и отец ее все время стоял на коленях, все время... Адела ногтями сжимала виски, стараясь прогнать эти страшные мысли, но мысли не слушались и возвращались обратно с нелепой, безжалостной силой. Она видела себя, прилетевшую к брату из Новосибирска на пятилетнюю годовщину смерти его этой нежно любимой жены; видела, как они едут в такси вместе с девочкой, очень худенькой и очень голубоглазой, которая перебирает косичку своими почти что прозрачными пальцами... Потом, держа девочку с двух сторон за руки, они очень долго идут по аллее, и капает с ангелов — с мраморных лиц их; подходят к могиле и плачут, и смотрят...

Оторвавшись от окна, огромная, в халате, на котором серебро луны рисовало свои призрачные узоры, так что и халат был уже не халатом, а пышным покровом неведомой жрицы, она шла по тихой, безмолвной квартире с пылающим мокрым лицом. Вошла в спальню, где спал ее муж со страдальческой складкой у тонких залгавшихся губ; постояла, потом ужаснулась тому, что он сделал со всей ее жизнью, пошла в проходную, где мальчик Алеша смотрел свои сны — те сны, от которых дуреют подростки, — и поцеловала его, наклонившись, и тихо вошла к своей дочке Виоле.

В отличие от матери, не сомкнувшей глаз в последнюю эту и лунную ночь, молодая Виола крепко спала, выставив локотки закинутых за голову небольших рук. Адела внимательно осмотрела ее тело, обрисовавшееся под тонким одеялом, ее лицо, особенно бледное и печальное во сне, заметила, что с годами еще больше оттопырилась нижняя губа, от вида которой Аделу тошнило. Она опустилась на колени у кровати, прижалась пылающим мокрым лицом к изгибу веснушчатой этой ручонки и стала молиться. Она знала арии, стихотворения, которые в школе учила с Алешей, но слов для молитвы Адела не знала, поэтому те незнакомые слова, которые пели покрытые платками женщины в церкви, где отпевали жену ее брата, начали мешать тем словам, которые перед сном бормотал когда-то ее отчим, — и вот отчего она стала молиться без слов, без единого жалкого звука, и страстно просить, чтобы все ей простили, хотя она и не была виновата...

Проснувшаяся Виола почувствовала на своей руке горячие слезы и в страхе открыла глаза.

— Мама? — не веря глазам, прошептала она.

— Любого убью, кто тебя там обидит! — поднимая искаженное, мокрое лицо с закушенной нижней губою, сказала тогда ее мать. — Моя дорогая! Моя ты бесценная!

Виола уехала, и Яна, налившаяся после ее отъезда овсяной кашей со сливками, маслом и вечной смородиной, в сахаре тертой, теперь походила на все те картинки, которые были на детских консервах, весьма несъедобных и вредных для жизни.

Адела жила в упоенье свободы. Ребенок был чистым, промытым до хруста, накормленным до безрассудства, румяным и с бабушкой связан, как яблочко с веткой. Марат никогда и ни в чем не перечил, тем более в этом. Катал по сугробам веселые санки, в которых сидела любимая внучка, и сам молодел от чудесных прогулок.

Виола жила в общежитии, к дяде ходила обедать два раза в неделю и тоже вдруг стала свободной на диво. Ей, выросшей в грубых и жестких материнских тисках, привыкшей, что жизнь — это кровосмешенье безумной любви с избиеньем и криком, сначала казалось неправдоподобным, что матери не было рядом, и даже все время хотелось спросить у кого-то: «Вы знаете, может быть, где моя мама?» Иногда посреди ночи она просыпалась от острого счастья, что завтра никто со змеиным шипеньем с нее не сорвет одеяло: «Где соска? Где Янина соска? Опять потеряла?» Никто никогда не ударит наотмашь за то, что у Яны холодные руки. Но главное, можно встречаться с мужчинами.

В жизни Виолы Вольпиной была только одна настоящая любовь, а именно к Кольке Чабытину. Колька Чабытин сидел десять лет за одной с нею партой и был так хорош, что глаза уставали смотреть на его красоту. Он был синеглаз, и высок, и небрежен. Его обожали все девочки в школе. Он был королем, сыном прачки и вора. Отец его умер в тюрьме, мать спивалась. Он начал курить в третьем классе, пить — в пятом, но облик его был таким, что однажды ему предложили сниматься в картине «Сибирь, моя родина».

Виола любила его бескорыстно. Настолько бескорыстно, что ей все время хотелось услужить ему: она кормила Кольку своими завтраками, сама предлагала списывать на контрольных, а если хотелось ему передать какой-нибудь выдре из старшего класса записку, она ее передавала. Чабытин ее не любил. Женщины, которые отдавались ему, всегда были старше, с большим опытом. Обычно он пил с ними, спал, а часто и дрался за них с пацанами. И это была его жизнь: мужская, суровая жизнь, без соплюшек. После десятого класса он сразу куда-то исчез. Потом ей сказали: его посадили. Он вроде участвовал в пьяном дебоше и ранил ножом молодого сержанта; а может быть, грабил кого-то с дружками и там подвернулся сержант. Спасибо судьбе, что сержант этот выжил, и Колька вернулся домой. Через три года Виола увидела его на улице: он шел, очень пьяный, но все же красивый, с глазами такой синевы, что болело от глаз этих сердце случайных прохожих. Она подошла. Обнялись, постояли.

— Ты любишь меня? — спросил Колька Чабытин.

Виола кивнула.

— А замуж не хочешь?

Она приоткрыла свой рот, побледнела.

— А что? Я серьезно. Спасать меня надо. А то пропаду я, как батя. Без шуток.

— Я, Коля, люблю тебя. Замуж так замуж, — сказала ему молодая Виола.

Он поцеловал ее в губы, и Виола навсегда запомнила вкус его горького, пьяного и прокуренного рта. И вкус этот стал для нее драгоцен. Весь день она ждала, что он позвонит или придет. Он не позвонил, не пришел. Потом ей сказали, что Колька погиб: попал под трамвай той же ночью. Вместе с болью, насквозь пропоровшей ее от этого известия, Виола почувствовала странное облегчение: теперь он уже никуда от нее не денется. Она ведь невеста ему, он позвал ее замуж. Жених ее умер, его схоронили, но где-то он есть все равно. Где есть, неизвестно. В земле, над землею, на небе — кто знает? Она ведь любила его бескорыстно.

В Москве Виолу больше всего привлекали эскалаторы: это была движущаяся сцена, на которую она выходила, всегда подтянутая, с выпрямленной спиной, с блестящим, зовущим, серебряным взглядом. Когда она плыла на эскалаторе, закрутив на висках колечки коротких и черных волос, то эти колечки служили ей веером: она сквозь него смотрела на зрителей, она выбирала партнера для сцены. И этот ее выбирающий взгляд действовал на мужчин, как магнит на железо. Они перескакивали через ступеньки, меняли направление своего движения: те, которые ехали вниз, догоняли ее и ехали вверх, а те, которые торопились наверх, бросались обратно за ней в преисподнюю, где веет особый резиновый ветер и поезд летит из одной тьмы в другую — такую же жуткую, краткую.

Запыхавшиеся мужчины говорили первое, что приходило в их головы: «я где-то вас видел», «а где вы снимались», «давайте дружить, я хороший». И она, сдувая с ресниц упавшие из-под шапочки волосы и так же играя глазами, как веером, всегда отвечала одно: «Вы ошиблись». В общежитие, где жила Виола, пробиться без пропуска не удавалось: у входа сидела вахтерша, к тому же те, которые догоняли ее, обычно бывали женаты, поэтому часто (зима, снег, детишки!) и не было вихрю, огню продолжения. Из тех десяти, скажем, кто устремлялся за этим ее серебрящимся взором, бывало, всего-то один оставался. И все было до отвращенья похожим: ну, комната или квартира, ну, кофе, потом раздеваться, потом поцелуи, потом «полежим, а куда торопиться?», потом «ну, до завтра, тебя проводить?».

Ни разу, ни разу — о Господи Боже! — ни тени похожего рта, этой дрожи и горечи этой; теперь-то понятно, что горечи смерти. Однажды, правда, случилось нечто особенное: Виола ехала в автобусе и поймала на себе сумасшедшие, зеленые, как у кота, глаза. Парень какой-то, совсем молодой, может быть, даже моложе Виолы, в надвинутой на лоб мохнатой шапке, замотанный шарфом, смотрел безотрывно. Законы оперетты диктовали Виоле ее поведение: она опустила ресницы и, отвернувшись, подышала на заиндевевшее стекло, потом сквозь оттаявшую синеву сверкнула зрачком на морозные ветки и только потом, словно вспомнив о чем-то, опять посмотрела на парня. Теперь не она выбирала, он выбрал. Автобус трясло, пассажиры входили, тащили детей в промороженных шубах. Виола давно проехала свою остановку — кошачий, зеленый, восторженный взгляд приклеил все тело к сиденью. На последней остановке, где окон с их тюлем, геранью и банкой с лохматым грибом, продлевающим жизнь, уже не осталось, а выросли жутко фантомы прозрачных больных новостроек, которые так неприятно дымились от сильного инея и от мороза, и все уходило куда-то туда, на небо, где нет и не будет грибов и герани, обоим пришлось попрощаться с автобусом. Они выпрыгнули на снег и по протоптанной новоселами тропинке, где в маленьких вмятинах талого снега жила еще память о том, кто топтал здесь печальную эту и скучную жизнь, пошли молчаливо к темнеющей арке. Под аркою оба вдруг остановились.

— Ну, выхода нет, будем греться в подъезде, — сказал тогда парень.

У него был звонкий и высокий, почти как у женщины, голос.

В подъезде была батарея и пахло каким-то сгоревшим, несъеденным блюдом. Парень прижал Виолу к батарее, которая сначала приятно согрела ее, а затем обожгла, но не сильно, и разом стянул с ее тела рейтузы и тут же (порвав их, конечно!) — колготки. Потом отодвинул трусы очень белой, как будто в муке, и широкой ладонью. Потом у Виолы пропало дыханье. Пока это длилось, она не дышала, а стала дышать, когда все завершилось. Они всё стояли и грелись, и грелись, пока не вошла ледяная старуха и не засверкала глазами в морщинах.

— Милицию вызову, сволочи, лярвы! — сказала старуха, но без выраженья.

Виола опять натянула рейтузы. Опять они той же продрогшей тропинкой дошли до знакомой своей остановки и сели в пропахший морозом автобус. Но парень уже не смотрел на Виолу и выпрыгнул вскоре на Новослободской.

Два раза в неделю она получала письма от матери.

Любимая доченька, — писала ей Адела из далекого города Новосибирска. — *Очень по тебе скучаем. Каждый день с папой смотрим на твою фотографию и волнуемся, как ты там. Слава богу, что ты не одна в Москве, а у нас там родственники. Если бы их не было, я бы тебя никуда не отпустила. Так, как ухаживает и следит за тобою мама, никто ни ухаживать, ни беспокоиться о тебе не станет. Запомни это. Ты теперь сама мать и знаешь, что я имею в виду. Ребенок в порядке. На прошлой неделе я стала волноваться, не болит ли у нее левое ушко, потому что Яночка все время терлась этим ушком о перекладину кроватки. Мы с папой позвонили Мирре Антоновне, она все сразу бросила и приехала к нам. Ты же знаешь, как нас уважают и любят в городе. Мирра Антоновна сказала, что у Яночки ушко в порядке, но на всякий случай выписала нам капельки, которые мы сразу же получили в дежурной аптеке и начали капать. Такие серьезные вещи нельзя никогда запускать. Я уж не буду говорить тебе, сколько нам с папой стоил этот приход Мирры Антоновны. Ты знаешь, что мы никогда и ничего не жалели для своих детей и всегда себе во всем отказывали ради вас. Была ли ты в «Детском мире»? Я посылаю тебе список тех вещей, которые жизненно необходимы нашей девочке. Постарайся купить, ничего не пропуская, ты ведь ей мать. Нельзя перекладывать все на мои плечи, а папа мужчина, ему не до этого. Яночке очень нужны хорошего качества белые носочки и белые гольфы. Если бы тебе удалось достать эти вещи производства ГДР, я была бы просто счастлива, но ты ленивая и не пойдешь занимать очередь, как это делала я, когда росла ты. Я себя не жалела. Кроме этого, постарайся купить несколько костюмчиков с начесом и такую же шапочку, но только обязательно с ушками. Про ботиночки я и не говорю: бери всё, что увидишь, ЛЮБОГО РАЗМЕРА. Я всегда покупала и тебе, и Алешеньке обувь и одежду на вырост, и ничего плохого от этого не случилось, как ты сама знаешь. И вот еще что я хотела сказать: теперь появились очень красивые новогодние игрушки на прищепках. Они тоже производятся в Германии. Продаются в наборах. Они стоят дорого, но мы с папой пошлем тебе денег специально для такого набора, не смей их тратить ни на что другое, я тебе запрещаю. И запрещаю посылать их по почте, потому что мы получим не игрушки, а гору стекла. Когда ты приедешь домой, ты привезешь этот набор сама. Посылаем тебе новые фотографии Яночки.*

Твои любящие мама, папа, дочка Яна и Алеша.

PS. Когда я думаю, какую дрянь ты там ешь в этих столовых, у меня просто стынет в жилах кровь. Памятью моей умершей мамы прошу тебя не питаться всухомятку и каждый вечер выпивать перед сном стакан кефира или ацидофилина. Не забудь, как я всю жизнь мучилась с твоим желудком.

Деньги были нужны позарез. Костюмы с начесом, французские духи «Клима», необходимые льстивой Аделе для «шикарного подарка» Мирре Антоновне, билеты в театры, от разнообразия которых разбегались глаза, — все это нуждалось в деньгах, а не в скудной стипендии. В конце зимы Виола устроилась на работу ночным сторожем в Институт марксизма-ленинизма. Здание это, построенное вскоре после революции, надо сказать, получилось на редкость некрасивым, хотя его строили очень старательно. Какое-то тусклое мертвое здание, и Ленин, Владимир Ильич, неприятен: сидит, изогнувшись, в напыщенной позе, кулак у скулы, и лицо — как голодное. Виола, однако, не стала раздумывать, а, радостная, приступила к работе. Ночами в Институте марксизма-ленинизма она оставалась одна (ночной сторож!), и в будке на вахте — сотрудник милиции.

И было ей страшно. Массивное здание института, которое днем наполнялось приятно то кашлем сотрудников, то страстным спором, то звяканьем ложечки в чае с лимоном, казалось ей склепом кладбищенским, адом, и запах его был похож на могильный: от книг несло плесенью, воском — от пола. Одиночество, которое она переживала в медленные часы своего дежурства, было таким, что, оглядываясь и пугаясь каждого темного угла, каждого выступа, она добредала до библиотеки, включала в ней свет и гладила голую голову Ленина, которая там помещалась на цоколе. Была голова и холодной, и гладкой, на прикосновение влажных от страха пальцев Виолы не отвечала, но та ее гладила и целовала: пускай будет Ленин — не так все же страшно. Она возвращалась обратно в «дежурку», ложилась на скользкий диван, засыпала. В семь тридцать можно было уходить.

В среду, накануне Восьмого марта, в Институте марксизма-ленинизма произошло короткое замыкание, и Виоле пришлось, вызвав электрика, задержаться на работе. Электрик был молод, собою приятен, слегка полноват, что в глаза не бросалось. Он очень светло улыбнулся Виоле почти что гагаринской бодрой улыбкой и вмиг починил все сгоревшие пробки.

Виола любила разговаривать с незнакомыми людьми, унаследовав эту привычку от Аделы, которая — где бы она ни оказывалась — тут же зарастала случайными знакомыми и собеседниками, как лес зарастает травой и цветами. Поблагодарив полноватого, но умелого электрика от имени Института марксизма-ленинизма, Виола предложила ему вернуться в ту маленькую комнату, откуда она ночами стерегла доверенное ей здание, и выпить с ней вместе горячего чая с печеньем. Электрик по имени Петя (молодые люди успели познакомиться) сказал, что пойдет с удовольствием. Пока Виола хлопотала, протирая стаканы и извиняясь за то, что ложечка у нее всего одна, и нету лимона, и сахара нету, зато «Юбилейного» целая пачка, а в Новосибирске его не достать, но мама печет пироги — даже лучше; пока она все это пролепетала, внимательный Петя осторожно осмотрел ее ладную фигурку, спросил, где ее институт и что за ребенок висит там на карточке (маленькая фотография ребенка Яны была кнопкой приколота над скользким диваном). Потом он вздохнул всей большой и широкой, однако же несколько женственной грудью и обнял ее. И Виола притихла. Петя в отличие от остальных людей, обнимавших ее со всею своей молодою внезапностью, совсем не был жарок. Огня или пламени (о нетерпенье уж не говорим), какого-то зуда там, дрожи — короче, того, что исходит из тела мужчины, который внезапно тебя обнимает, как будто вот сразу укусит, проглотит, а ты, может быть, еще и не готова, — нисколько в объятии Петином не было. А было тепло, и покой, и приятность. Как будто ты в озере плаваешь летом. Какие в озерах акулы, скажите? Никто тебе пятку в воде не откусит, русалочки спят, водяные дряхлеют. Плыви себе дальше и не опасайся. Почувствовав именно это, Виола стояла, прижавшись к приятному Пете, и даже забыла про все оперетты.

— Ты вечером, это... дежуришь, короче? — спросил ее Петя.

— Конечно, дежурю, — сказала ему молодая Виола.

Вечером принарядившаяся Виола, красиво разложив на тарелочке остатки «Юбилейного» печенья, нетерпеливо посматривала в окно, где шел, невзирая на праздник всех женщин, досадно назойливый, остренький снег. Петя постучался ровно в десять, протиснулся в дверь с веткой пухлой мимозы, а также коробкой конфет шоколадных и снова блеснул своей чудной улыбкой.

— Я раньше не мог: сын немного болеет.

— А сколько ему? — удивилась Виола.

— Четыре, — ответил ей искренний Петя.

— А что же жена?

— Она в среду дежурит.

— Как? Тоже дежурит? — спросила Виола.

— Она медсестра. На приемке дежурит.

— Зачем ты пришел? — рассердилась Виола и даже немного раздвинула ноздри. — Жена, сын болеет... Чего ты явился?

— А мне с тобой как-то, вот знаешь, приятно, — ответил ей Петя, немного подумав.

— Тогда раздевайся, попьем с тобой чаю, — сказала Виола, жалея, что нету в руках ее веера или перчатки.

— Конфеты вот... — Петя сказал торопливо.

Окрыли коробку. Конфеты лежали на месте, но были как будто немного припудрены. (Ходили, видать, по рукам очень долго: дарить их дарили, а кушать жалели.)

И Петя опять ее обнял. Как раньше.

Нельзя сказать, что это была такая совсем уже сладкая жизнь. Встречались в дежурке по средам. Жена уже знала (соседка сказала), что Петя куда-то по средам уходит. Пришлось ей сказать: на объект по наладке. «Наладке — чего? Не поймешь». — «По наладке». — «А я говорю: по наладке — чего? А может, ты бабу завел?» — «Нет, не бабу. Сказал: по наладке». — «Смотри, Петушок, вот возьму и проверю!» — «Давай проверяй! Говорю: по наладке».

Вот так вот и жили — все время на нервах. К тому же аборты. Нечасто, но были. И все без наркоза. В районных больницах ведь, если не сунешь, никто на тебя и не смотрит. Всегда так.

Несмотря на свои беспокойные и грустные временами обстоятельства, Виола и Петя очень друг к другу привязались и никак не думали, что им придется расстаться. Расстаться пришлось, да с какой еще кровью!

В самом начале июня, когда у Виолы шли экзамены, в столицу примчалась Адела. Ребенок Яна, о встрече с которой бедная Виола мечтала по ночам, осталась в Новосибирске с дедушкой Маратом Моисеичем и нянькой, испытанной лично Аделой, старухой весьма чистоплотной и ловкой.

На вокзале Адела сперва судорожно обхватила робкую дочь свою и быстро ощупала ей позвонки, и шею, и локти, как будто пытаясь сама убедиться, что дочь вся цела и нигде не поломана. Потом она несколько раз повертела ее голову то влево, то вправо, крепко держа при этом дочернее лицо за подбородок и старясь не обращать внимания на оттопыренную нижнюю губу Бени Скурковича.

— Скелет! — задохнувшись, сказала Адела. — Где брат мой? Он что, не приехал?

— Нет, дядя в машине, он ждет нас, — ответила ей, испугавшись, Виола. — Ведь ты же сказала, что ты без вещей!

— А я без вещей. Не нужны мне здесь вещи. Но мог бы и бросить машину на время. Я все же сестра ему. Столько не виделись!

Но брат уже шел им навстречу. Огромная, пестро одетая Адела крепко обняла его своими мягкими и сильными руками.

— И ты похудел, дорогой. Что у вас здесь с продуктами? У нас ничего не достать, я за все переплачиваю. Сейчас мы все вместе поедем на рынок, все нужно купить. Я зачем к вам приехала? Кормить вас приехала, больно смотреть ведь!

Скупив половину Центрального рынка, понюхав говядину, кровоточащую от свежести на цинковых поддонах, попробовав творог у каждой старухи, пожевав и тут же выплюнув немного кинзы и немного петрушки, Адела в сопровождении дочери и брата приехала наконец в знакомую квартиру на улице Лобачевского, сменила свое красивое шелковое платье на необъятный халат, из разрезанных до локтя широких рукавов которого, как птицы — с природною их грациозностью, — все время взлетали и падали руки, и тут же, не медля, взялась за готовку. Виола, отвыкшая от матери за девять месяцев в столице, теперь, когда мать та каждую секунду дергала ее криком: «Дай соль мне!», «Дай перец!», чувствовала себя так, как чувствуют заключенные, которых выпустили по амнистии, но они снова нарушили закон и возвращаются обратно в тюрьму. Она изо всех сил пыталась угодить и не навлечь на себя материнскую ярость, но голова у нее разболелась, руки дрожали, и ноги безвольно подкашивались. После обеда Адела вдруг посмотрела на карточку умершей своей золовки, которая висела над столом.

— Да что мы сидим здесь? Я что, к вам обедать приехала?

...Перед входом на Ваганьковское кладбище стояли нищие, бродили с поджатыми хвостами собаки. Закат золотил их чудесные морды.

— Цветочков, а, девочки? Смотри, какие незабудочки! Их в землю воткнешь, они до-о-олго стоят!

Старухи, сидя на опрокинутых ведрах перед разостланными на земле газетами с пучками неярких и кротких цветочков, тянули к прохожим костлявые руки. Купили, прошли мимо церкви. Виола искоса взглянула на лицо своей матери и поразилась тому сосредоточенно-страдальческому выражению, которое остановилось на нем. С трудом протиснувшись в недавно посеребренную особой кладбищенской краской калитку, Адела всплеснула руками и горько заплакала:

— Ведь сколько я здесь не была! Лет двенадцать!

Она опустилась на корточки и принялась своими блестящими белизной пальцами с неизменно красивым и свежим красным лаком на ногтях пристраивать в землю цветочки.

— Ты спишь, моя милая! — певучим и ласковым голосом заговорила Адела. — Моя золотая! А я к тебе, Томочка, издалека. Пришла вот тебя навестить, моя милая! Живу хорошо, ращу внучечку, Томочка. Тебя не хватает! Ведь как мы дружили...

Она всхлипнула и закусила губу. Виола тоже всхлипнула при виде материнских переживаний. Адела подняла заплаканное лицо.

— Виола, когда я умру, ты придешь на могилку? Приди, моя доченька! Что ты примолкла?

Виола села на землю рядом с матерью и неожиданно для себя расплакалась, уткнувшись в ее пахнущее духами мягкое плечо. Адела притиснула ее к себе и выпачканными в земле руками пригладила ей волосы.

— Никого у тебя нет на свете ближе меня! Запомни, Виола. Кому ты нужна, кроме матери, глупая?

Нежный и задумчивый летний вечер опустился на столицу, когда они наконец вернулись обратно на улицу Лобачевского.

— Тебе на работу сегодня? — спросила Адела.

Виола кивнула.

— Иди, моя доченька.

Виола поспешила на работу в Институт марксизма-ленинизма, где, облокотившись на памятник Ленину, стоял, поджидая ее, верный Петя.

— Соскучился я по тебе. Еле вытерпел. С женой поругался опять. Ты поела?

В дежурке они, обнимая друг друга, легли, как всегда, на диван.

— А может быть, нам пожениться, Виолка? — спросил ее Петя. — Мамаша приехала, может, ей скажем?

— Ты что, сына бросишь? — спросила Виола. — А жить мы где будем?

Любовь облагораживала их души, и часто именно после любви Виола и Петя задумчиво пели, прижавшись друг к другу на узком диване. Этот вечер не был исключением. Виола в одном только черном лифчике и короткой юбочке, обхваченная любящим Петей за талию, как раз выводила начало:

> То-о-о не ве-е-тер ве-е-етку кло-о-онит,
> Не дубра-а-а-вушка-а-а шумит...

И Петя ее подхватил:

> То мое, мое сердечко сто-о-онет...

Их добрые и чистые голоса сливались с таким же согласием, как только недавно сливались тела, и песня стремилась к тому же единству, к тому же щемящему свету, который всегда озаряет высокую дружбу и нежную страсть, от чего возникают на свете и люди, и звери, и птицы. Но им помешали.

Дверь в дежурку распахнулась, и на пороге выросла Адела. Она была такой, что даже Виола, много раз видевшая мать разгневанной, зажмурилась и в своем лифчике жалком нырнула за Петину спину.

— А ну, вылезай! — приказала Адела. — А вы убирайтесь отсюда!

Но к Пете она обращалась на «вы», и даже в минуту сильнейшего гнева была королевой и роль свою знала.

— Всегда и во всем: проститутка и мразь! — спокойно сказала Адела. — У вас, молодой человек, есть семья, зачем вам-то дело иметь с проституткой?

— Да как же вы можете? Дочка ведь ваша, — спросил оглоушенный Петя.

— Позор! Позор она мне! Стыд и срам, а не дочка! — отрезала сразу Адела. — Позор! Одевайся, мерзавка! Пойдемте-ка выйдем.

И вышла, забрав с собой Петю.

— Молодой человек! — звучным, переливающимся шепотом спросила Адела. — Вы часто сюда приходили?

— Не стану я вам отвечать! — перебил ее Петя

— Да я ведь добра вам желаю, — сказала Адела. — Вы сами подумайте: зачем же мне, матери, позорить при вас свою дочь? Незамужнюю? К тому же с ребенком? Мне лучше вас сразу заставить жениться! Ну, разве не так? А ведь я вас спасаю!

— Зачем?

— А-а-а... Зачем... Слава богу, услышал! Затем, что мне вашу мать жалко, а больше мне незачем! У вас ведь есть мама?

— Ну, есть.

— Вот ее мне и жалко! Чтоб сын, да какой — вы ведь добрый, хороший! — женился на этой мерзавке! И я вас спасаю. Я прежде всего человек. И совесть моя мне дороже, чем дочка! И я говорю вам от чистого сердца: бегите, бегите, бегите отсюда!

— А что, у вас есть доказательства, что ли? — спросил растерявшийся Петя.

— Конечно, — сказала Адела и вдруг погрустнела. — А без доказательств я разве бы стала? Она вам хотя бы хоть раз объяснила, какая причина была ей уехать? Подумайте сами: ребенок ведь — крошка! Нуждается в матери. Мать уезжает, бросает ребенка на долгое время... Какая-такая учеба, скажите, дороже, чем дочь, а? Какая учеба? Чему здесь такому учиться, в столице, когда у нас там — просто светоч всех знаний? Ну? Что вы молчите?

— Откуда я знаю? — спросил мрачно Петя.

— А я вам скажу. — И понизила голос. — Последней собаке и той было ясно, что дочка моя — проститутка. Она к нам мужчин табунами водила! Мы с мужем — известные люди, артисты, а выйти из дому буквально стеснялись! На нас на бульваре все пальцами тыкали!

— И что? — Петя сжался, смотрел исподлобья.

— Как что? И тогда я сказала: «Послушай, Виола! Садись в этот поезд и — всё. Пожалей хоть ребенка! Ведь ей — идти в школу, ведь ей — идти в садик... Ее заклюют! Пожалей хоть ребенка! В Москве ты начнешь все с нуля. Ради бога!» Она-то, конечно, была очень рада. Ей этот ребенок... Да ей — что ребенок, что кошка, что мышка! Вильнула хвостом и умчалась. Кукушка! Бегите отсюда и не возвращайтесь!

Перед Петей стояла не просто женщина — уже пожилая, прекрасного вида, хотя, может быть, все же слишком большая, — стояла богиня из греческих мифов, и ноздри ее раздувались от гнева. Она не лгала, она предупреждала. И Петя услышал. Он робко взглянул ей в глаза. Адела ответила гроздьями молний.

— Я вас заклинаю, как сына: бегите!

И он убежал. Нет, ушел, оглядываясь и замедляя шаги, потому что сердце его стало как-то слишком сильно стучать внутри большого и неповоротливого тела, как будто просило вернуться обратно, в ту грустную песню, которую пели они на диване со лгуньей Виолой, и там тоже было о чьем-то сердечке, и это сердечко стонало, стонало...

Адела вернулась в дежурку. Простодушная Виола в том же самом черном лифчике и короткой юбочке лежала, сжавшись в комочек, лицом к стене.

— Вставай и взгляни мне в глаза! — приказала Адела.

Виола послушно села и заплаканными, распухшими глазами посмотрела на мать. Адела дала ей пощечину.

— Мечтала, я вижу, в столице остаться? И замуж здесь выйти? И Яну забрать? О нас ты подумала? Вот что, Виола: запомни навеки! Такого не будет! Никто тебе Яну сюда не отдаст! Под все поезда костьми лягу! Запомни!

Оставшиеся экзамены Виола сдала и в начале июля вернулась обратно домой вместе с матерью. С приходом сентября свое обучение в аспирантуре она и продолжила в Новосибирске.

Прошло еще года четыре. Марат Моисеич ушел на пенсию и посвятил всего себя воспитанию внучки. Яночка ходила в детский садик, и дед ее — самый красивый на свете — на всех детских елках был Дедом Морозом. Виола закончила аспирантуру, работала, но получала копейки, хотя и была молодым кандидатом.

А вот на Аделу дивился весь город. Их с мужем всегда и везде узнавали: артисты ведь так популярны в народе. За все эти годы ни разу — ни разу! — она не покинула дома без грима, перчаток и лаковой сумки. Толстела, теряла румянец и кудри, глаза опухали, и ноги, и руки, но был маникюр на ногтях, и прическа, и шуба, и платье, и пудра с помадой. Теперь все дивились тому повороту, который судьба предложила Аделе, известной и памятной людям по сцене. Адела сидела на кассе в огромном, недавно открывшемся универсаме. Да, так и сидела. Нехитрое дело: подставят тебе табурет — и работай. Адела работала. В лаке и кольцах, помаде и пудре, с медовой улыбкой. Причиной такому неожиданному и несколько унизительному даже превращению было отвратительное снабжение города Новосибирска. Пустые прилавки. Достать-то по-прежнему ей доставали, но не было денег за все переплачивать. А Яне нужны были творог, бананы, хорошее масло и свежие сливки. И мясо, и курица с рыбой в придачу, и разные овощи, и мандарины. Ребенок рождается, чтобы кормили, а не для того, чтоб ребенку зачахнуть.

— Послушай, Адела! Но нас же все знают! — И муж покрывался испариной. — Как же... Как это ты сядешь на кассу, Адела?

— Тебе показать, как я сяду?

Смеялась. И даже белье обнажила однажды, задрав сзади платье.

...Холодно было в Новосибирске, темно было, холодно. Марат и Алеша, уже второкурсник, встречали Аделу с работы. Она выплывала в мешках и пакетах, лицо было мрачным. Пакеты трещали. Не глядя на них, отдавала покупки. Домой шли — молчали. Адела снимала холодную шубу и хлопала дверью большой своей спальни. Ложилась и громко рыдала в подушку. Тогда к ней входила кудрявая внучка и гладила бабушку детским мизинцем. Потом они рядышком и засыпали.

Яночка заканчивала первый класс, когда ее мама Виола познакомилась с Андреем Анатольевичем. Он был очень жилист и очень подвижен. Похож на лису — если в профиль, на волка — когда опускал уши вытертой шапки. Работал врачом в поликлинике. Детство провел под Норильском и там же родился. Дитя заключенных, веселого мало. Родители Андрея Анатольевича проходили по политической статье и в лагере выжили чудом. И чудом у них появился ребенок. Но оттого, что звезда, осветившая этого неуверенно закричавшего, окровавленного еще ребенка, которого только что извлекли из материнского живота, была самой яркой, и самой мохнатой, и самой упорной на небе звездою, Андрей Анатольевич стал очень сильным. Похоронив родителей в зоне вечной мерзлоты, он перебрался в Новосибирск, поступил в медицинский институт, окончил с отличием, стал офтальмологом. Женился весьма неудачно, развелся. И тут в его жизни возникла Виола. Андрей Анатольевич почувствовал то, о чем поется в песне. Все стало вокруг голубым и зеленым, и радость его не нуждалась в причинах. Причина была, но одна и все время: Виола и взгляд ее, скорбно-лукавый.

Они поженились. Адела смолчала. Все ее опасения и редкая даже для женщины проницательность выплеснулись в одной строчке из короткого письма брату: «У нас теперь в доме живет уголовник». Трудно сказать, что имела в виду Адела, выбрав именно это слово для определения непростого характера Андрея Анатольевича. Он ничего не украл из ее прекрасной квартиры и ни на кого из находящихся в ней ни разу не покусился. Но что-то в немного раздвоенном носе и в той напряженной сдержанности, которая отличала все его поведение, включая даже то, как он спускал воду в уборной, не просто настораживало Аделу, а сразу вело ее к горькому выводу: они были — люди закона, а он — уголовник. Скандалов, однако, совсем не случалось. И молодожен, и хозяйка квартиры терпели друг друга, как хищные звери, случайно попавшие в общую клетку. И только тогда, когда Андрей Анатольевич, желая избежать произвольного вторжения в их с Виолой комнату то девочки Яны, то парня Алеши, а то (что бывало нередко) Аделы, вмонтировал в дверь помещенья замок, Адела сказала, чтоб оба съезжали. И он, и Виола. Но только без Яны. У Яны здесь дом, и у Яны здесь школа. (А школа и правда была очень близко.)

Андрей Анатольевич добился крохотной комнаты в медицинском общежитии, и они съехали. Медицинское общежитие было на другом конце города, транспорт работал плохо, Виола опять оказалась разлученной с дочерью, и даже телефон в общежитии был всего один на целый этаж: с ребенком не поговоришь.

У Андрея Анатольевича были жесткие пальцы, и слава богу, что он работал офтальмологом, а не дантистом: мог рот разодрать — столь жестки были пальцы. Сначала у Виолы случалась тоска всякий раз, когда Андрей Анатольевич овладевал ею — никакое другое слово не подходило к его любви так точно и сильно, как это, — но вскоре тоска заменилась отчаяньем. То время романа, когда неулыбчивый доктор с раздвоенным носом и страстью в глазах дарил ей цветы и заглядывал в ее опущенное и бледное лицо с надеждой любви и смущенной покорностью, — то время прошло. Теперь у нее был муж, и муж чувствовал себя хозяином не только всего ее тела, но также души, а душа ускользала. Это ускользание Виолиной души, соединенное с ледяным холодом ее тела, вызывало страдание в Андрее Анатольевиче. Он не был ни добрым, ни злым человеком. Он был — дитя ссыльных, отверженных, чудом рожденный внутри мерзлоты, вечной ночи, зачатый рабами на жестком матрасе; и он, выбрав в жены Виолу, хотел бы глотнуть хоть немного тепла, но вышло напротив: Виола глотнула его этой жесткой и яростной воли.

А тут началась перестройка. И даже в холодном, недавно отстроенном Новосибирске подули какие-то странные ветры. Алеша однажды сказал за обедом, что он уезжает в Израиль. Адела схватилась за сердце и начала раскачиваться из стороны в сторону, не произнося при этом ни одного слова: так вдруг пересохло все горло. Марат Моисеевич, много лет пробывший парторгом в Театре музыкальной комедии, тоже как будто онемел. Алеша был баловнем, нежно любимым, ему позволялось шутить на все темы.

— Алеша, ты шутишь, — сказал Марат Вольпин. — Дурацкая шутка.

— Марат, он не шутит, — вдруг хрипло сказала Адела. — Он хочет уехать в Израиль.

— Дорогие мои родители! — развязным и одновременно испуганным голосом заговорил белокурый сын, услада их глаз и отрада их сердца. — Вы же не хотите, чтобы я погиб здесь? А это ведь может случиться. Я через год окончу институт и выйду маленьким, сереньким, рядовым советским инженером. И буду всю жизнь получать маленькую и серенькую советскую зарплату. И жить с вами вместе вот в этой квартире, поскольку откуда возьмется другая? И если я женюсь, то мне придется привести сюда свою жену, и они с мамой будут толкаться в одной кухне и ненавидеть друг друга. И я никогда ничего не увижу, кроме, в самом лучшем случае, какого-нибудь болгарского курорта. И у меня будут такие же друзья и сослуживцы. Хотите вы этого?

— Все так живут... — начал было Марат Моисеевич, но сын не дал ему продолжить.

— Я, папа, к тому же еврей. Ты об этом забыл?

— Я тоже еврейка, — сказала Адела. — И я прожила так огромную жизнь. И что? Ничего не случилось.

— А разве не ты рассказывала мне о том, как приехала в Москву поступать в консерваторию и врезала в морду какой-то засранке, которая обозвала тебя жидовкой? А если *меня* обзовут, я убью.

И сын тяжело покраснел. Адела смотрела на него и чувствовала такой глубокий страх, которого не чувствовала ни разу в жизни. А было ведь всякое. Но вот такого — чтобы она совсем не знала, как ответить собственному ребенку и чем возразить ему, как оборвать, когда всё, всё уже бесполезно и поезд ушел, — такого пожалуй что не было.

Потом пошли спать. А в полночь Адела в огромном халате, в разрезах которого мощные ноги белели, как будто стволы в синеватых сучках и наростах, и руки белели, а лоб был прорезан морщиной, как бритвой, вдруг встала с кровати и медленно, странно пошла по своей необъятной квартире. Она шла почти что на ощупь, вытянув вперед растопыренные пальцы в кольцах, которые перестала снимать даже на ночь, поскольку они въелись в мякоть, и, миновав тускло поблескивающую сервизами и вазами столовую, вошла к детке Яночке. Любимая и ненаглядная детка в своей заграничной пижамке спала. Ее спящее лицо повторяло лицо самой Аделы, каким оно было на тех старых фото, которые тихо лежали в альбоме. И родинка в левом углу подбородка, и сизый, как перья у птицы, затылок.

Адела тяжело, с медленным сдавленным стоном опустилась на колени перед кроватью и большую горячую ладонь свою положила на детские глаза. Под ее ладонью затрепетали ресницы, защекотали ладонь ее, как пойманные бабочки или стрекозы; она накрывала сильнее, давила, как будто хотела бы их успокоить и остановить их слепое движенье. Со стороны можно было подумать, что ребенок только что умер и женщина, со стоном закрывающая ему глаза, понимает, что и ее жизнь кончена.

Она поднялась, посмотрела. Что-то странное проступило в ее чертах: лицо ее вдруг начало опускаться, закатываться, подобно тому, как закатывается солнце, и тот же яростный блеск, с которым солнце, закатываясь, вдруг вспыхивает на самую последнюю секунду, желая, чтоб все на него посмотрели, вдруг вспыхнул на этом лице.

Они уезжали втроем: Алеша, Марат и Адела. Знакомые по театру и просто знакомые, с которыми Адела, как это могло показаться со стороны, делилась своими переживаниями, сочувствовали чете Вольпиных, вынужденных расстаться не только с Родиной, но также со внучкой и дочерью.

— Почему бы вашему сыну одному не уехать? — удивлялись они, пожимая плечами. — Почему вы его сопровождаете?

Что должна была она отвечать людям, которые искренно не понимали, почему она не может расстаться с Алешей? Можно ли объяснить слепому от рождения, что значит цвет моря, к примеру? Нельзя объяснить, не пытайтесь.

Весь ужас от предстоящей разлуки с Яной, который Адела носила в себе с того самого дня, когда она поняла, что Алешу уже не удержать, а жить без Алеши она не могла так же, как не могла жить и без Яны; но Яна оставалась, по крайней мере, с матерью, хотя никудышней, а Алеша, скажи она ему, что они с отцом никуда не поедут, уехал бы сразу один, — весь ужас ее постепенно переплавился в дикую ненависть к Андрею Анатольевичу. Он не собирался уезжать в Израиль, а не случись в их жизни Андрея Анатольевича, никто не стал бы и спрашивать Виолу о ее желаниях: собрались бы все и поехали.

Закрывши глаза, Адела рисовала себе отрадные картины: вот этот невысокий, широкоплечий и жилистый человек с его раздвоенным носом (что есть признак лживости!) выходит с передней площадки автобуса. Кто-то толкает его, и, поскользнувшись, Андрей Анатольевич оказывается прямо под колесами. Под крики собравшихся «Скорая помощь» увозит с собой его труп.

Или, например, Андрей Анатольевич возвращается вечером к себе в медицинское общежитие. Его догоняют какие-то парни и требуют денег. Он в этих деньгах им отказывает. Тогда от обиды один из парней его ударяет ножом прямо в сердце. Они убегают. Он, мертвый, лежит. Раздвоенный нос покрывается снегом...

Фантазии так и оставались фантазиями, при том что Андрей Анатольич был жив и здоров. Он был недоступен Аделе, он был неподвластен до тех пор, пока одна дьявольская мысль не пришла ей в голову. Виола была прописана в родительской квартире, и само собой разумелось, что после их отъезда они с Андреем Анатольевичем и девочкой Яной будут жить тут. Квартира, однако же, стоила денег. Ведь если, к примеру, Виолу бы выписать, то можно квартиру продать, а все деньги потратить. Не ехать же голыми в эту пустыню! Вон, умные люди везут на всю жизнь: сервизы, серванты, ковры, пылесосы, электроприборы, одежду и обувь... А им отправляться с одним чемоданом?

И жестокая Адела поставила условие: если вы собираетесь жить и радоваться в квартире, которая мне и отцу столько стоила крови, то вы нам заплатите. И сумму сказала, немалую сумму. Виола помертвела, когда ее мать сладчайше, медово и переливаясь чудесным контральто, сказала ей, сколько.

Андрей Анатольевич скрипнул зубами:

— Добро!

И к ужасу всех — а всех больше Аделы — собрал эту сумму. Ему не боялись одалживать. Знали: вернет.

Он мог бы сказать ей:

— Забирайте вашу никчемную дочь вместе с вашей толстой внучкой! Они мне уже не нужны. Везите их к чертовой матери!

А он не сказал. И деньги принес, до копеечки. Она ненавидела его так, что горло перехватывало от ненависти. Но Виолу она ненавидела не меньше, а может быть, даже и больше, чем ненавидела его, потому что Виола была матерью Яны и отнимала у нее Яну на законных основаниях.

И она начала неистово и широко тратить деньги, которыми ей заплатили за страсть к вот этому зернышку, косточке, счастью, ее виноградинке сизой, любимой. Белья накупила постельного столько, что если бы Мертвое море засохло, то дно его можно бы выстелить было вот этим Аделиным новым бельем. Да что там белье! Она увозила сервизы, серванты, и два пылесоса, и каждую вазочку, каждую нитку. Она вместе с сыном своим, вместе с мужем везла целый дом, всё, нажитое кровью! А девочка, слепленная по ее подобию, оставалась. Она не понимала, не догадывалась, она не могла догадаться, какой ад бушевал в душе ее вздыбленной бабушки, когда эта бабушка вдруг похватала всех кукол, сидящих на полках, чтоб даже и кукол забрать с собой вместе!

— Зачем тебе куклы-то Янины, мама? — спросила Виола.

— *Я* их покупала! — сверкая глазами, сказала Адела. — Я ими и распоряжаюсь, вот так-то! Ребенок ведь *твой, ты* теперь все и купишь!

В предпоследнюю перед отлетом ночь она вдруг застыла перед своим сверкающим чистотою, набитым продуктами холодильником. И утром сказала:

— Пускай покупают. *Он* думает, что *он* теперь обожрется? Напрасно *он* думает!

И эти проклятые низкие люди — дочь, ею рожденная от негодяя, и муж, уголовник с раздвоенным носом, — они заплатили за каждую крошку! За каждую банку топленого масла.

В аэропорту она прижала к себе бледную, с дрожащими пухлыми губами Яну и замерла. Потом начала ей шептать что-то в ухо, как будто бы каялась или просила. Но тихо, никто ничего не услышал. Ее не могли оторвать. Оторвали.

После отъезда родителей и брата в Израиль Виола была так несчастна со своим мужем Андреем Анатольевичем, что люди, помнившие Аделу, тут же догадались, что брак этот был ею проклят. Андрей Анатольевич ни на йоту не изменился с тех пор, как он встретил скорбно-сереброглазую Виолу и влюбился в нее. Он, может быть, стал еще строже, поскольку теперь отвечал за семью. Долги нужно было отдавать, а ребенка воспитывать. Ребенок был очень избалован бабкой.

Виола боялась наступления темноты, потому что влюбленный в нее Андрей Анатольевич не пропускал ни одной ночи без того, чтобы не доказать ей пламенность своего чувства. В холодные месяцы он по своему обыкновению закладывал в нос полоску чеснока, ибо ничто так не спасает человека от заболевания гриппом, как этот простой незатейливый овощ. Когда ее муж занимался любовью, Виола теряла сознание: запах становится гуще от силы эмоций.

Мать ее Адела, поселившаяся вместе с отцом Маратом Моисеичем и братом Алешей в далеком от промороженного Новосибирска Израиле, теперь аккуратно писала ей письма.

Чувствую себя очень плохо, — писала Адела. — *Думаю, что здешний климат мне, коренной сибирячке, совсем не подходит. Еврейская культура мне подходит очень, потому что я выросла в еврейских традициях и только из-за тяжелых исторических испытаний нашего народа вынуждена была в течение многих лет прятать* эти традиции глубоко в своем сердце. Тебе, доченька, опрометчиво соединившей свою судьбу с человеком без роду и без малейшего племени, меня будет очень непросто понять. Я снова и снова возвращаюсь мысленно к тому шагу, который ты сделала, и не понимаю, что могло толкнуть тебя на этот поступок, благодаря которому мы теперь разлучены. Папа и Алеша, не сделавшие тебе ничего плохого, кроме одного только хорошего, разделяют мою боль. Я каждую ночь просыпаюсь от того, что слышу, как плачет Яночка, и сразу вскакиваю, бросаюсь ее искать. Папа беспокоится, что я в темноте могу что-то сломать себе, споткнувшись и упав на здешний каменный пол.

Наши соседи оказались интеллигентными людьми, многие из них приехали даже из Ленинграда и были там не сапожниками, а врачами или педагогами. Нас с папой приняли с распростертыми объятиями, все время приглашают в гости и просят нас что-нибудь спеть. Папа уже несколько раз соглашался, а я не могу. Совсем у меня не то настроение. Да и гардероб мой оставляет желать лучшего. Те теплые шерстяные платья, которые я привезла с собой, нисколько не подходят для нашей жары. Так и висят в шкафу, только место занимают. Но покупать или шить что-то новое у меня нет никакой возможности: очень плохо с деньгами. Дают только на прожиточный минимум и очень скромное питание. Я ломаю себе голову, как и чем могли бы мы с папой заработать хотя бы немного денег, чтобы послать их тебе и Яночке. Наши соседи, узнав, что у меня осталась внучка в Новосибирске, принесли нам целую кучу изумительных детских вещей. У них у всех есть внуки, которых родители прекрасно одевают, но дети вырастают быстро, так что многие изумительные вещи так и остаются ни разу ненадеванными. Я уже послала вам посылочку. Проверь по списку, чтобы они ничего не украли там на почте! Люди ведь совсем не имеют ни капли совести. В посылку я положила: два летних платьица, одно в клетку, а другое — в полоску, и на том, которое в полоску, белый большой воротник и вышита в уголке овечка. Кроме того: непромокаемый плащик для Яны, я за таким плащиком гонялась в Новосибирске много лет и так и не смогла его достать. Здесь они тоже стоят недешево, но никаких трудностей со снабжением нет. Были бы деньги. Для тебя я положила синюю водолазку и очень красивые тапочки. Больше, к сожалению, ничего не смогла: нет материальных возможностей.

Пиши мне подробно обо всем. Янино здоровье меня очень беспокоит. Не забывай, что ей необходимы белки, это самое нужное для формирования всех жизненно важных органов. Мы с папой ходили на лекцию одного ленинградца, он здесь пенсионер, а в Ленинграде был одним из ведущих профессоров-терапевтов. Я для себя узнала очень много интересного, записала за ним почти всю лекцию.

Дорогая моя доченька! Я не могу защитить тебя от твоего мужа так, как делала это дома, хотя ты меня и не слушалась. Надеюсь, что время сделает свое дело и ты сама поймешь то, что я тщетно объясняла тебе и тратила на это все оставшееся здоровье.

Целую вас с Яночкой сто миллионов раз.

Твоя мама.

Виола отвечала старательно и подробно, но только неправду. Вернее, не полную правду. То, как у Яны дрожат губы после того, как Андрей Анатольевич объясняет ей правила человеческого поведения в обществе, она не писала.

В самом начале весны Виола увидела сон, из которого поняла, что ничего хорошего ждать не приходится. Во сне она сидела на лавочке в том самом сквере, в котором Адела когда-то катала в колясочке Яну, и тут к ней подсел незнакомый мужчина. Он был до того похож на покойного Кольку Чабытина, что у Виолы чуть не выпрыгнуло сердце. И взгляд был таким же: огонь с бирюзой. Блаженство, охватившее крепко спящую Виолу, помешало ей запомнить подробности их малозначительного разговора, но она очень ясно увидела саму себя, радостно вставшую с лавочки, и мужчину, который, смеясь милым Колькиным смехом, ее обнимает за талию. Потом они быстро куда-то пошли. Виола его не спросила куда. Тем более глупо бы было спросить: «А что мы с тобой будем делать?»

В доме было темно, как в аквариуме. Мужчина, похожий на Кольку, помог Виоле раздеться и подвел ее к дивану с тем странным изяществом, которое с двенадцати лет отличало ее бедового одноклассника. Виола почувствовала, как вся начинает дрожать мелкой дрожью.

«Минутку меня обожди, дорогая», — шепнул он.

И быстро разделся: рубашку снял, брюки. Виола вскочила с дивана. Левой ноги у незнакомого человека не было до самого колена, а вместо ноги был железный протез, который он начал привычно отстегивать.

«Вот так я и знал! — воскликнул мужчина, взглянув на Виолу. — Чего ты боишься?»

Виола натянула платье, которое было на ощупь резиновым, и бросилась к двери.

«Куда? Кто тебе разрешил?» — спросил он Аделиным голосом.

От неожиданности Виола остановилась.

«Иди ко мне, дочка», — сказал ей безногий.

Даже дыхание его, которое Виола почувствовала на своей щеке, было похожим на дыхание ее матери. Она закричала и проснулась. Андрей Анатольевич в голубой майке, источая острый запах чеснока, беспечно спал рядом. Его жилистая, почти безволосая нога с продолговатым коленом прикрыла собой ее ногу так мощно, как будто желала ее защитить.

— Коля! — беззвучно заплакала Виола, вновь вспомнив погибшего Кольку Чабытина. — Любимый мой Колечка! Как же ты умер? Зачем же ты умер, а, Колечка?..

Утром на следующий день почтальон принес письмо, вдоль и поперек перепачканное печатями. Почерк на конверте был незнакомым, а обратный адрес написан по-английски. Ничего не понимая, Виола разорвала конверт.

— *Моя дорогая Виолочка!* — прочитала она. — *Представляю, как сильно ты удивишься, когда поймешь, кто это тебе пишет. А пишет тебе твой отец, дорогая Виолочка. Я жив и здоров, уже два года как переехал в США и сейчас живу в Лос-Анджелесе, в штате Калифорния. Я очень сейчас волнуюсь, когда пишу тебе: а вдруг ты не захочешь дочитать это письмо до конца, а порвешь его и выбросишь в помойный ящик? Не делай этого, Ви-*

олочка. Дети не должны расплачиваться за грехи своих родителей, а я и не считаю, что так уж сильно виноват перед тобой. Богу было угодно, чтобы тебя воспитал чужой человек, но мне сказали, что он всегда относился к тебе, как родной отец, и ты можешь гордиться тем, что носишь его фамилию. Дело в том, что моя двоюродная сестра живет в двух шагах от твоей мамы и Марата Моисеевича, она недавно познакомилась с ними и написала мне, какие они оба прекрасные и добрые люди. Жизнь многому научила меня, дорогая Виола. И хотя твоя мама когда-то больно обидела меня и ранила так сильно, как только может один человек ранить другого, я уже давно пересмотрел нашу историю и теперь не обвиняю твою маму так, как обвинял раньше, а стараюсь понять и простить ее. Очень тяжело жить с человеком, которого не любишь, это настоящее испытание, и не все с ним справляются. Я от всего сердца надеюсь, что судьба послала тебе в мужья именно того, кого ты любишь и кто любит тебя. А как же иначе? Ты ведь ничего другого и не заслуживаешь.

С восторгом узнал от своей двоюродной сестры, что у меня, оказывается, есть внучка Яночка, которой уже тринадцать лет. Не могла ли бы ты прислать мне свои и ее фотографии?

Два слова о себе: через три года после развода с твоей мамой я встретил очень хорошую женщину, на которой вскоре женился. У нее тоже была дочка такого же возраста, как и ты. А муж ее умер от сердца совсем молодым. Дочку моей жены зовут Еленой, сейчас она уже взрослая и у нее есть свои дети. И Леночку, и ее *детей, мальчика Сережу и девочку Катю, я считаю своими родными детьми и очень дорожу тем, как они ко мне относятся.*

Не знаю, захочешь ли ты ответить мне и вступить со мною в переписку? Не стану скрывать от тебя, что если ты не захочешь этого и мое письмо останется без ответа, то это будет очень похоже на то, что я уже однажды пережил, когда твоя мама увезла тебя в Петрозаводск. Бог ей судья, она всегда была очень эгоистичной.

Ответь мне, пожалуйста. Хотя бы два слова.

Твой папа.

Письма лежали рядом на ее письменном столе: от матери и от отца. Она не чувствовала ничего, кроме отвращения и страха. Люди рождались на свет с тем, чтобы как можно яростнее мучить ее. Сперва были эти. Вот эти: ее мать с отцом. Они не любили друг друга. Она считала своим отцом другого человека и никогда не вспоминала того маленького, с короткими руками, который когда-то кормил ее чуть кисловатой сметаной, и вишни лежали в траве, и две черные птицы клевали их свежую кровь, этих вишен. Она и запомнила запах сметаны, и эти короткие теплые руки постольку, поскольку запомнила вишни. Они были сочными, красными. Птицы их ели. Потом мать ее увезла.

Чужой человек был всегда намного добрее ее родной матери, он ни разу не ударил ее и не сделал ничего, в чем она могла бы упрекнуть его. Никакого другого отца она не хотела. Теперь этот другой зачем-то появился, и так ощутимо, так настойчиво появился, что она снова почувствовала кисловатый запах сметаны, и прямо перед ее глазами появились его губы, которые он широко раскрывал, поднося к ее губам ложку.

Виола взяла половинку лезвия, лежащего рядом с письмами, и принялась сосредоточенно точить карандаш. Ей почему-то стало легче от этого простого, немного опасного занятия. В глубине квартиры хлопнула дверь: Андрей Анатольич вернулся с работы.

— Виола и Яна! Вы где? — спросил его тусклый безрадостный голос.

Через несколько секунд он вырос на пороге той бывшей Алешиной комнаты, в которой она, сидя за письменным столом, упорно точила карандаш.

— Я что, разве тихо позвал? Так что же ты мне не ответила?

Виола подняла на мужа скорбные серебристые глаза. Тонкая шея ее с выпуклым узелком щитовидной железы покрылась багровыми пятнами.

— Виола! Я что, разве тихо позвал? — повторил он. — Что все это значит?

Она смотрела на него с тою обреченною ненавистью, с которой умная и старая змея смотрит на факира, заставляющего ее извиваться. Потом очень быстрым и мягким движеньем (опять-таки близким к змеиному) положила между нижними и верхними зубами обломок лезвия и зажала его.

— Виола! Немедленно вып...

Андрей Анатольевич не успел договорить нужного слова «выплюни!», потому что она сглотнула слюну, и лезвие исчезло в темноте ее рта.

— Виола-а-а! — закричал Андрей Анатольевич и, ставши белее той самой сметаны, рванулся на помощь.

Она была жива. Он схватил ее за плечи и начал трясти изо всех сил, как трясут дерево, с которого вот-вот посыплются спелые желтые яблоки.

— Где бритва, Виола? Ты что, проглотила?!

Она молча кивнула головой. В глазах ее не было страха.

— В больницу... скорее... рентген... мы успеем! — как безумный, забормотал он, выволакивая ее в коридор и напяливая на нее пальто. — А может быть, ты уронила, Виола?

Она засмеялась и слабо помахала перед его лицом рукою, как это делают стоящие на трибуне Мавзолея старые и закоченевшие вожди, перед слезящимися глазами которых идут нескончаемо люди и машут своими шарами и красными флагами. В больнице Виоле сделали рентген и сказали, что обломок лезвия находится внутри пищевода, но это не точно, поскольку рентген нужно делать не так, как сейчас, а на опустевший и чистый желудок.

— Зачем ее здесь оставлять? — разумно сказал рентгенолог. — Вы лучше следите за стулом. Он сам должен выйти. Конечно, есть шанс, что порежет. Еще бы!

И мрачно причмокнул губами.

— Но все же... в больничных условиях... Все же... — сказал нерешительно муж пострадавшей.

— А что вам условия? — кротко удивился врач. — Что, сестры, по-вашему, будут копаться? Ну, вы понимаете... Точно не будут. А так все же шанс... Если дома. Следите!

Вернулись домой.

— Виола, ложись! — приказал сразу муж.

Она пошла в спальню, легла. Потом вспомнила слова рентгенолога и встала. Вырвала из общей тетрадки два листочка и написала письма отцу и матери. Отцу она сообщила, что тоже жива и здорова и очень хотела бы с ним переписываться. А матери рассказала про школьный спектакль, поставленный по пьесе «Двенадцать месяцев», в котором Яна сыграла роль королевы, и ей очень хлопали. Потом взяла два чистых конверта и вложила в каждый из них по письму. Заклеила и написала адреса.

Прошло три недели. Весна была в самом разгаре. Деревья сурового Новосибирска как будто обрызгали свежей листвою. Виола домой возвращалась с работы и шла очень медленно. Открыла почтовый ящик, вытащила газеты и письмо из Израиля. Она вспомнила, что писем от матери не получала уже давно, и вяло обрадовалась. Читать начала прямо в лифте.

Проклинаю тебя! — писала ей Адела. — *И если я еще раз скажу тебе хотя бы одно слово, пусть у меня отсохнет язык! И пусть у меня глаза ослепнут, если я еще раз увижу тебя в моей жизни! И уши пусть оглохнут, если я еще раз услышу твой голос! Я вычеркиваю тебя из моей жизни и всем буду говорить, что дочь у меня умерла. Ты умерла для меня. Теперь у меня нету дочери.*

Скажу тебе напоследок, что ты всегда была растяпой и дурой, но я все-таки не ожидала, что ты пришлешь на мой адрес письмо, которое ты так ласково написала этому негодяю и посмела назвать его отцом! Какой же он отец тебе после того, что он не только не хотел, чтобы ты родилась, но и своим поведением довел меня до того, что я почти покончила жизнь самоубийством! Чудо спасло меня. А после этого? Разве он заботился о тебе? Разве он вставал к тебе по ночам, когда ты орала благим матом и не только весь дом, но даже и соседи наши в другом доме не могли заснуть из-за твоего ора? Я к тебе вставала и часами носила тебя на руках, чтобы ты хотя бы немного успокоилась. И руки у меня отваливались после этого. Знаешь ли ты, кстати, как он обрадовался, когда я сказала ему, что отказываюсь от его вонючих денег и не желаю никаких алиментов? А ведь если бы он хоть немного любил тебя, он бы, наверное, нашел возможность передать тебе драгоценности своей матери, а не отдал бы их своей второй жене или вообще неизвестно кому. Там было кольцо с жемчугом и кольцо с красивым сапфиром, потому что они были богатыми людьми, но очень жадными и всегда гребли только под себя. И он такой же!

Когда мы с папой прочитали твое письмо, мы не могли смотреть друг на друга от стыда за тебя. Мне хотелось одного: умереть. Но я не доставлю тебе этого удовольствия. Ни тебе не доставлю его, ни негодяю Скурковичу, которого ты теперь считаешь своим отцом! Теперь у тебя нет ни отца, ни матери. Ты круглая сирота. И не зря я не хотела, чтобы ты у меня родилась. Я как будто чувствовала, что ты не принесешь мне ничего, кроме страданий.

Никогда больше не пиши нам. Забудь наши имена и наш почтовый адрес. Яночке я буду писать отдельно, она за тебя и твое поведение не отвечает.

Проклинаю тебя.

Адела Вольпин.

Лифт остановился, и дверцы его отворились. Зажимая рот руками, в которых была сумка, перчатки и это письмо, Виола вышла из кабинки и опустилась на ступеньку лестницы. Она не видела себя со стороны и не слышала своих рыданий. Рыдания были, однако, такими, что тут же сбежались соседи:

— Кто умер? Кто умер? А, муж! Нет? А кто же?

Ее пробовали отпоить водой, но зубы Виолы выбивали дробь на стакане и вода выливалась. Она уже выла — рыдать больше не было сил, — хрипела, захлебывалась, задыхалась.

— Ах, Господи, надо врача! Это приступ, — бормотали соседи, сталкиваясь руками над ее распростертым телом. — Наверное, инфаркт. Вот и всё! Вот так молодыми-то и помирают!

Она затрясла головой, когда у нее попробовали отобрать материнское письмо, и крепче зажала его в кулаке.

— А может быть, это Адела Исаковна? — вдруг осенило кого-то. — А может быть, даже Марат Моисеич? А может быть, оба?

Не переставая хрипеть и захлебываться, Виола вдруг резко поднялась и пошла к своей двери, достала из сумочки ключ, открыла, и дверь за ней тут же захлопнулась.

— Сегодня узнаем! — подбадривая друг друга, зашептали соседи. — Наверное, оба погибли. Вот так вот уедешь к чертям на кулички, а там и прихлопнут! Нет, дома спокойней...

Марат Моисеевич Вольпин легко и охотно приспособился к новым условиям жизни. Особенно радовало то, что никакой особенной чужбины в Бершеве совсем даже не оказалось. Чужбина — ведь это не климат, а люди. А люди по-прежнему были своими. А главное — солнце, все время тепло. Свои мандарины в саду и лимоны. Сорвешь вот лимончик и думаешь: «Ишь ты!»

С той минуты, когда они получили нелепое письмо Виолы, где она сообщила Бене Скурковичу, что рада тому, что ее отыскали, и будет писать, и пришлет свои карточки, их целая жизнь сразу остановилась. Застыла Адела. После яростного взрыва, когда она кидалась на стены, рвала на себе волосы и всеми словами кляла свою дочь, странное равнодушие охватило ее: теперь она часами сидела в большом кресле, блестя красным лаком ногтей и слезами, которые быстро, не переставая, но тоже как будто совсем равнодушно бежали из глаз, — и молчала. И только когда заходящее солнце бросалось на грудь ей, как рыжая кошка, и вдруг начинало лизать ее тело и нежно окрашивать тусклые щеки, она поднималась и шла в свою кухню. Варила там борщ и крутила котлеты. Потом, когда запах борща поднимался над миром Бершевы, себе подчиняя удушливый запах пустыни и зноя, она подзывала из сада Марата своим переливистым низким контральто:

— Обедать! Я больше не разогреваю!

И он шел покорно. Обедали молча. Глаза ее были страшны, полны кровью: сосуды давно в них полопались. Марату Моисеичу иногда даже казалось, что он сидит за столом рядом с мертвой женщиной, которая почему-то двигается и проглатывает пищу.

Однажды он все же решился:

— Позволь мне, я ей напишу...

— Что напишешь? — спросила Адела безвольно и вяло.

— Ведь мы ее так воспитали, Адела... — смелея, сказал он. — Ведь мы объясняли, что нужно быть вежливой... Нужно тактично... Она растерялась, она у нас — тряпка... А муж негодяй, ей там очень несладко...

Адела подняла на него свои окровавленные глаза.

— Какое мне дело? Ты хочешь? Пиши.

Утром Марат Моисеич отправился на почту и послал в Новосибирск лаконичную телеграмму: «Пожалей мать». А вечером, когда они уже ложились спать и Адела в белой, до пят, ночной рубашке, вышитой по подолу красными русскими петухами, с сеткой на своих поредевших коротких волосах, мазала оливковым маслом большие пальцы, раздался телефонный звонок.

Марат Моисеич снял трубку. Но в трубке Виола рыдала так бурно, что слов было не разобрать.

— Даю тебе маму, — сказал Марат Вольпин.

— Я слушаю вас, — прожурчала Адела.

— Прости меня! Мама! Ты слышишь? Прости!

Лицо у Аделы менялось: краснело, потом стало белым, потом задрожало.

— Прости меня! Мамочка! Мамочка! Ма-а-ама-а!

Виола рыдала. И чем глубже становился звук ее рыданий, чем меньше слов могла она втиснуть в эту содрогающуюся, влажную, взвизгивающую и хрипящую массу, которая услаждала слух и залечивала сердечную боль ее матери, тем ярче, моложе и даже красивей был облик давно постаревшей Аделы. Мысленным взором своим она видела дочь, растерзанную так, как бывает растерзан человек, заблудившийся в лесу и ставший добычей для дикого зверя. Теперь эта дочь не была ей опасна, лежала у ног ее — грузных, отечных, — как жертвы, залитые черною кровью, лежат на своих алтарях и дымятся; но все же она не была еще мертвой, и только Адела решала сегодня, что делать с покорной распластанной жертвой: добить или дать ей возможность подняться.

— Ну, хватит, Виола, рыдать. Успокойся. Такой разговор стоит денег, а деньги гораздо разумнее тратить на Яну. Как, кстати, ей платье в полоску? Налезло?

Алеша, на следующее утро забежавший к родителям, застал Аделу в саду, в тени апельсинового дерева. Она поднимала к плодам свои руки, потом опускала к корням их, крутила горячим и влажным, расплывшимся торсом.

— Профессор, — сказала она, задыхаясь, — велел каждый день упражненья... И важно при этом дышать глубоко... Он мне объяснил: «Вы всю жизнь не дышали». Теперь я дышу... А вот папа не дышит. Пойди объясни ему. Кончится плохо...

Отец Марат Вольпин завязывал галстук.

— Сегодня идем в синагогу, — сказал Марат Вольпин. — Девятое мая! День нашей Победы. Мы с мамой поем на концерте две песни. Ты должен их знать: «Бьется в тесной печурке...» и «Синенький скромный платочек». Нас больше просили, но мы отказались. Потом будет ужин и, кажется, танцы. Я, впрочем, давно не танцую.

Но по тому, как радостно вспыхнуло отразившееся в зеркале отцовское лицо, Алеша понял, что отец наговаривает на себя и будет плясать, сколько сможет. Мать, по-прежнему стоящая под апельсиновым деревом, ждала его с важным таинственным видом.

— Мы с папой простили Виолу, — сказала она. — Что можно поделать? Всегда была дурой и дурой умрет. Мы простили. Я папе сказала: «Тут нечего делать. Она — наша кровь». И папа со мной согласился. Мы с ним недавно были на лекции по изучению истории еврейского народа. Читал один лектор из Иерусалима. Рассказывал много из Библии. И он говорит: был в Самарии голод, и было две женщины. Одна их этих женщин бросилась к царю в ноги, когда он проходил по стене, и сказала ему, что вот эта, другая, женщина говорила ей: «Отдай своего сына, съедим его сегодня, а моего сына съедим завтра». И она отдала им своего сына, они его сварили и съели. На другой день она сказала той женщине, которая просила ее: «Отдай же теперь ты твоего сына, и мы съедим его». А та женщина спрятала своего сына.

— А царь? — испугался Алеша.

— А царь — как обычно, — снисходительно ответила Адела. — Что царь? Разодрал все одежды. Они же язычники были.

— И часто у вас эти лекции?

— Обычно раз в месяц, — сказала Адела. — Но я не хожу. Хотя мне это важно. Другие послушают и забывают, а мне — прямо в сердце...

Глаза ее вспыхнули.

— Думаешь, я бы дала тебя съесть? Я сама бы всех съела! И кости бы сплюнула. Вот, мой хороший. Ты это запомни: пока я жива, и ты, и сестра твоя не пропадете. Умру и *оттуда* вас буду хранить. — Она подняла высоко свою руку. — Я часто ведь вижу: вот я умерла. И *там* говорят мне: «Послушай, Адела! Иди прямо к Богу и все объясни».

— А ты? — И Алеша стал бледным.

— Встаю на колени, ползу. Приползаю. Господь меня ждет. Говорит мне: «Адела! Я знаю, что ты в своей жизни грешила. Зачем ты так много грешила, Адела?» А я говорю Ему: «Что было делать? Послал Ты детей мне, Господь, и оставил. И я — всё одна, всё сама. Что мне делать?» И Он говорит мне: «Ты не беспокойся. Детей твоих Я не оставлю, Адела».

...Слепило глаза от медалей. Ветераны Великой Отечественной войны, перебравшиеся на постоянное место жительства в государство Израиль, пришли в синагогу на праздник. Их жены надели красивые платья, чулки и накрасили губы.

Среди этих женщин, тела которых напоминали опустевшие жилища, где выпиты все запасы вина и с жадностью съедена каждая крошка, Адела казалась царицей. Она и вплыла, как царица. На ее мраморно напудренном лице с ярко, по-театральному нарисованными глазами было такое выражение, как будто ее каждый шаг по земле рождает восторг, а движение взгляда способно повергнуть во прах человека. Черное, в белый горошек платье красиво подчеркивало матовую гладкость ее уже старых, но крепких, как будто слоновой кости, мощно развернутых плеч, ее пышных лопаток, вовсю выпирающих из-под тесемки, украсившей вырез и сзади, и спереди.

Все уже давно знали, что Вольпины — артисты, и это располагало к ним людей; они улыбались им льстиво навстречу, ловили улыбку высокой Аделы и взгляды Марата с густой поволокой. Их номер был третьим на этом концерте. Выйдя на сцену и остановившись слева от своего взволнованно порозовевшего мужа, у которого резкая старческая темнота проступила под его загадочно прищуренными глазами, Адела одернула пышное платье, стараясь, чтоб вырез стал глубже, и в эту минуту глаза ее встретились с теми глазами, которых она до сих пор не забыла.

С того дня, а вернее сказать, с той ночи, когда она последний раз видела эти глаза, они находились слишком близко от ее собственных глаз, и она запомнила их так мучительно, но искаженно, как можно запомнить себя самою. Прошло сорок лет. От его тела, которое она последний раз видела в минуту, когда он, раздвигая тела других людей, притиснутых жарко друг к другу в трамвае, стремился к передней площадке, чтоб прыгнуть на полном ходу и ее не коснуться, — от этого тела осталось немного. Он был теперь жалок и худ, ниже ростом. Ему не хватало — увы — витаминов, а может быть, даже белка и клетчатки, как ей объяснял ленинградский профессор, и это вело к истощению тканей и полному их обветшанию. Что делать... Глаза были мелкими, в складках, в морщинах, но прежняя наглость и голубизна их остались на дне и торчали из складок, как будто бы дерево в солнечных блестках, которое влажно торчит из болота и чудом внутри его не погибает, а так расцветает, как будто на суше.

Она не удивилась тому, что увидела его. Он не имел никакого отношения к ее нынешней жизни и должен был вызвать досаду. Досады, однако, все не возникало. Напротив: ей стало дышать тяжелее, и тонкие струйки холодного пота сползли по спине, растворились под шелком. Сидевший за роялем человек с прилизанными волосами, в профиль напоминающий Вертинского, взял первый аккорд, и Адела запела. Медовым своим, неизменным и сильным, почти перекрывшим Марата контральто.

— Бьется в те-е-есной печу-у-урке огонь...

Она протянула огромные руки к притихшему залу, и зал покорился. Женщины, тела которых напоминали опустевшие жилища, а волосы, тонкие, как паутина, не прятали кожи их жалких затылков, всплакнули негромко. Мужчины прижали ладони к глазам. Эх, всякое было! Конечно, печурка... И в ней огонек... А куда оно делось? Вчера вот сидел, наклонившись к печурке, портянки сушил, а сегодня? Сам старый, в ушах аппарат, и что-то все время скребется и ноет под правым коленом, как будто там мыши, а может, не мыши... Жена держит руку на этом колене, а пальцы жены, как сучки, все в наростах...

Потом они спели про синий платочек. Марат обхватил ее нежно за плечи, и люди растрогались.

— Ты провожа-а-ала и обеща-а-а-ла синий платочек сберечь...

Наверное, пока она пела, он вышел. Им хлопали, хлопали, многие встали. Опять, значит, спрыгнул с площадки трамвая. Беги! Мне тебя не догнать, я устала. А помнишь, как ты целовал мои груди и все повторял, что я слаще, чем дыня? Ты тоже был сладок. И сладок, и темен, весь в шелковой шерсти, как зверь; а уж запах! Она содрогнулась. Пойти вот и плюнуть. Вот так подойти и сказать ему: «Здравствуй!» Потом улыбнуться и плюнуть повыше, чтоб только попало в глаза, а не мимо. Она усмехнулась растерзанным мыслям. Ах, он убежал? Ну, беги. Здесь пустыня. Съедят тебя, милого, дикие звери...

За ужином, на котором было много разной еды, приготовленной самими участниками, и кто-то догадался принести чугунок вареной картошки и черного хлеба, чтобы напомнить о войне, Адела почти ни к чему не притронулась.

— Адела, как вкусно! — с восхищением бормотал ей муж, облизывая ложку из-под красной икры. — Попробуй, родная, какой чудный студень!

А в восемь пришли музыканты. Адела выплыла в уборную, где несколько женщин, с внимательной мукой смотрящихся в зеркало, пытались заставить себя быть моложе. Они с тихой злостью румянили щеки, зачем-то слюнявили тонкие брови. Потом задирали шуршащие юбки, искали начало чулок, поправляли. Как будто бы это кому-то и нужно!

Она не узнала себя. В зеркале отразилась огненно-красная, как будто ее обварили, старуха.

— Ах, что это я? — удивилась Адела.

Нельзя было так появляться на людях. Руки ее дрожали, и она никак не могла нащупать скользкий замок сумочки; потом все же нащупала его и достала из сумочки помаду, духи и компактную пудру. Напудрилась густо, замазала красное. Потом надушила подмышки и шею. Поправила волосы. Так. Уже лучше. В ушах появился навязчивый звон, и красные искры рассыпались в зеркале.

«Найду его и объясню, что мне плохо. Не стоило есть этой рыбы...»

Она уже решила, что нужно отозвать в сторону развеселившегося Марата Моисеича и приказать ему покинуть праздник. И дома немедленно лечь. Открыть окна. Померить давление, выпить снотворное. Она пошатнулась, схватилась за сумку. Потом улыбнулась, но криво и страшно. Нельзя, чтобы кто-то сейчас догадался, что ей стало плохо: пойдут разговоры. Актриса, нельзя... И всегда была в форме. Она вышла в зал, где уже танцевали. Старые, растрепанные музыканты с малиновыми пятнами на щеках играли с душой, отдавались всем сердцем. И песни знакомые, прежние песни...

> Опять от меня сбежала
> Последняя электричка,
> И я по шпалам, опять по шпалам
> Иду-у-у-у домой по привычке!

Сквозь туман, который застилал ее зрение, она увидела мужа, Марата Моисеевича Вольпина, который кружился с высокой соседкой. Соседка откинула тощую шею и вся заливалась пронзительным смехом.

Я гляжу ей вслед,
Ничего в ней нет...

— Сломает ведь ногу, придурок! — смеясь, но негромко шепнула Адела.

Потом все исчезло. Что-то оторвалось внутри, странная легкость подхватила ее, и тело, которого она уже не чувствовала так, как чувствовала раньше, вдруг стало пылать, словно печь. Пустая, без теста. Поначалу она испугалась своей пустоты и принялась вспоминать все, чем раньше заполняла ее. Но вместо людей проступали скелеты: то муж, то Виола, то мальчик Алеша, то девочка Яна, и всё это сразу — так быстро — сгорало, золы прибавлялось... Ей рук не хватало погладить, проститься. Их не было, рук-то. Но память искала, цеплялась за странный загадочный запах. Как будто бы пыли какой-то, картошки...

И вдруг она вспомнила. Да, молдаване! Старик, их укрывший в холодном подвале.

— Зачем ты нас спрятал? — спросила Адела. — Тебя же убьют.

— Да уж это как будет, — сказал молдаванин. — Как Богу угодно. Тебе-то за что помирать? Молодая. Господь что решит, то и будет. Поешьте. Оливок поешьте. Вода-то осталась?

Она успокоилась сразу, обмякла. Теперь мы все вместе. Теперь мне не страшно.

СОДЕРЖАНИЕ

РАССКАЗЫ

ПОВЕСТЬ

Литературно-художественное издание

ЛЮБОВЬ К ЖИЗНИ
Проза И. Муравьевой

Ирина Муравьева

ТЫ МОЙ НЕНАГЛЯДНЫЙ!

Ответственный редактор *О. Аминова*
Младший редактор *А. Семенова*
Художественный редактор *А. Стариков*
Технический редактор *Г. Романова*
Компьютерная верстка *Е. Мельникова*
Корректор *Е. Сербина*

В оформлении переплета использована фотография:
Veaceslav Popovici / Hemera / Thinkstock / Gettyimages.ru

ООО «Издательство «Э»
123308, Москва, ул. Зорге, д. 1. Тел. 8 (495) 411-66-86; 8 (495) 956-39-21.
Өндіруші: «Э» АҚБ Баспасы, 123308, Мәскеу, Ресей, Зорге көшесі, 1 үй.
Тел. 8 (495) 411-68-86; 8 (495) 956-39-21.
Тауар белгісі: «Э»
Қазақстан Республикасында дистрибьютор және өнім бойынша арыз-талаптарды қабылдаушының
өкілі «РДЦ-Алматы» ЖШС, Алматы қ., Домбровский көш., 3«а», литер Б, офис 1.
Тел.: 8 (727) 251-59-89/90/91/92, факс: 8 (727) 251 58 12 вн. 107.
Өнімнің жарамдылық мерзімі шектелмеген.
Сертификация туралы ақпарат сайтта Өндіруші «Э»

Сведения о подтверждении соответствия издания согласно законодательству РФ
о техническом регулировании можно получить на сайте Издательства «Э»

Өндірген мемлекет: Ресей
Сертификация қарастырылмаған

Подписано в печать 01.09.2015. Формат 84x108 $^1/_{32}$.
Гарнитура «Ньютон». Печать офсетная. Усл. печ. л. 16,8.
Тираж 2000 экз. Заказ № 9991.

Отпечатано в ОАО «Можайский полиграфический комбинат».
143200, г. Можайск, ул. Мира, 93.
www.oaompk.ru, www.оаомпк.рф тел.: (495) 745-84-28, (49638) 20-685

Оптовая торговля книгами Издательства «Э»:
142700, Московская обл., Ленинский р-н, г. Видное,
Белокаменное ш., д. 1, многоканальный тел.: 411-50-74.

По вопросам приобретения книг Издательства «Э» зарубежными
оптовыми покупателями обращаться в отдел зарубежных продаж
International Sales: International wholesale customers should contact
Foreign Sales Department for their orders.

По вопросам заказа книг корпоративным клиентам,
в том числе в специальном оформлении, *обращаться по тел.:*
+7 (495) 411-68-59, доб. 2115/2117/2118; 411-68-99, доб. 2762/1234.

Оптовая торговля бумажно-беловыми
и канцелярскими товарами для школы и офиса:
142702, Московская обл., Ленинский р-н, г. Видное-2,
Белокаменное ш., д. 1, а/я 5. Тел./факс: +7 (495) 745-28-87 (многоканальный).

Полный ассортимент книг издательства для оптовых покупателей:
В Санкт-Петербурге: ООО СЗКО, пр-т Обуховской Обороны, д. 84Е.
Тел.: (812) 365-46-03/04.
В Нижнем Новгороде: 603094, г. Нижний Новгород, ул. Карпинского, д. 29,
бизнес-парк «Грин Плаза». Тел.: (831) 216-15-91 (92/93/94).
В Ростове-на-Дону: ООО «РДЦ-Ростов», пр. Стачки, 243А.
Тел.: (863) 220-19-34.
В Самаре: ООО «РДЦ-Самара», пр-т Кирова, д. 75/1, литера «Е».
Тел.: (846) 269-66-70.
В Екатеринбурге: ООО«РДЦ-Екатеринбург», ул. Прибалтийская, д. 24а.
Тел.: +7 (343) 272-72-01/02/03/04/05/06/07/08.
В Новосибирске: ООО «РДЦ-Новосибирск», Комбинатский пер., д. 3.
Тел.: +7 (383) 289-91-42.
В Киеве: ООО «Форс Украина», г. Киев,пр. Московский, 9 БЦ «Форум».
Тел.: +38-044-2909944.

Полный ассортимент продукции Издательства «Э»
можно приобрести в магазинах «Новый книжный» и «Читай-город».
Телефон единой справочной: 8 (800) 444-8-444.
Звонок по России бесплатный.

В Санкт-Петербурге: в магазине «Парк Культуры и Чтения БУКВОЕД»,
Невский пр-т, д.46. Тел.: +7(812)601-0-601, www.bookvoed.ru/

Розничная продажа книг с доставкой по всему миру.
Тел.: +7 (495) 745-89-14.

ISBN 978-5-699-83870-7

16+

РОМАН
СЕНЧИН

Современность ищет своих героев. Мы стосковались по искренности, честности, прямоте. По русской прозе европейского уровня, которая сегодня поставлена на грань выживания вместе со всей страной. Книги Романа Сенчина напоминают нам: наши поиски и тоска не напрасны.

Можно выжить в любой, даже самой трагической ситуации, и не нужно бояться потерять себя, испачкаться, стать хуже. Важно жить сегодняшним днем и помнить молитву Франциска Ассизского: пусть достанет нам сил изменить то, что можно изменить; принять то, что изменить нельзя; и отличить одно от другого.